POC

VAINCRE LES PEURS

DU MÊME AUTEUR
CHEZ ODILE JACOB

Qu'est-ce que l'homme ? Sur les fondamentaux de la biologie et de la philosophie, avec Jean-Didier Vincent, 2000 ; « Poches Odile Jacob », 2001.

Lettre à tous ceux qui aiment l'école. Pour expliquer les réformes en cours, avec Xavier Darcos et Claudie Haigneré, 2003.

LUC FERRY

VAINCRE LES PEURS

La philosophie comme amour de la sagesse

15, rue Soufflot, 75005 Paris

www.odilejacob.fr

ISBN 978-2-7381-2018-2
ISSN : 1621-0654

AVANT-PROPOS

Ce livre se compose de trois parties bien distinctes et cependant inséparables.

La première est une conférence au cours de laquelle j'ai présenté à un large public les points essentiels de mon livre *Apprendre à vivre.* On y trouvera une réflexion sur ce qu'est à mes yeux la philosophie, sur les temps forts qui ont marqué son histoire, mais aussi sur ce qu'elle peut nous apporter en termes de sagesse pratique. J'y développe et approfondis l'idée selon laquelle les grandes visions du monde philosophiques sont, pour l'essentiel, des doctrines du salut sans Dieu, des tentatives de nous sauver des peurs qui nous empêchent de parvenir à une vie bonne, mais cela sans l'aide de la foi ni le recours à un Être suprême. La première version de cette conférence fut présentée à la Sorbonne, au collège de philosophie, au cours de l'année

2005. Depuis, je n'ai cessé de la retravailler, de la réécrire et de l'enrichir, notamment à l'occasion des débats qu'elle a suscités, jusqu'à ce qu'elle exprime de façon à tout le moins adéquate le message que je voulais transmettre. Au fil de ce lent travail, j'ai eu constamment trois modèles en tête : *L'Existentialisme est un humanisme*, de Sartre, que je tiens pour un chef-d'œuvre de pédagogie. *Qu'est-ce que la métaphysique ?*, de Heidegger, parce que cette petite conférence, d'une profondeur abyssale, résume parfaitement l'essentiel de sa pensée, et, pour la même raison, *Le Bonheur désespérément*, de mon ami André Comte-Sponville. Bien entendu, je ne prétends nullement me comparer en quoi que ce soit à ces trois philosophes, sinon pour la forme de la conférence « canonique » que je crois intéressante et utile en ce qu'elle permet à l'auteur, comme à ses lecteurs, de faire le point, de ressaisir sans artifices ni faux-semblants les motifs principaux d'un travail engagé parfois depuis des décennies.

Cela dit, le propos de cette publication n'est pas seulement pédagogique. Se contenter de résumer de manière plus simple le contenu principal d'*Apprendre à vivre* ne justifierait pas une publication. J'ai visé en réalité un autre objectif. Pour l'essentiel, dans *Apprendre à vivre*, j'avais cherché à rendre la définition et l'histoire de la philosophie aussi limpides et intéressantes que possible, sans mettre particulièrement en scène mon propre point de vue sur cette impressionnante galerie de portraits. Dans ma conférence, au contraire, mais aussi dans la suite de ce livre, j'ai cru utile d'indiquer de manière explicite la perspective philosophique à partir de laquelle je raconte et m'approprie en quelque façon cette histoire. L'humanisme postnietzschéen que je tente de développer depuis des années forme ainsi le fil conducteur principal de cette conférence – ce qui permettra à mon lecteur de se situer lui-même plus aisément. De là aussi le lien avec la deuxième partie, qui appartient à un genre plus ancien : celui des « réponses aux objections ».

Lorsqu'un livre paraît, il arrive qu'il suscite des débats, qu'il soulève des remarques, des critiques et des objections auxquelles on n'avait nullement songé en l'écrivant. Ce fut le cas pour *Apprendre à vivre.* Certaines d'entre elles, qui touchent à la définition de la philosophie, mais aussi aux rapports qu'elle entretient avec la religion, m'ont semblé particulièrement significatives. Si j'ai souhaité les publier pour tenter d'y apporter certains éléments de réponse – ce qui constitue l'objet de la deuxième partie –, c'est pour mettre en quelque façon mon propre point de vue au banc d'essai, pour le tester en le comparant à celui d'autres penseurs afin que, là encore, le lecteur en soit plus et mieux éclairé sur ce que peut être la philosophie aujourd'hui. Ces discussions, bienveillantes mais sans concession, avec des interlocuteurs professant d'autres idées que les miennes, m'ont permis de développer et d'approfondir considérablement la perspective élaborée dans mes travaux antérieurs.

Enfin j'avais dû, pour parvenir à réaliser, comme je le souhaitais, une véritable synthèse des moments cruciaux de l'histoire de la philosophie occidentale, choisir ce qui me semblait absolument essentiel, et, par conséquent, écarter certaines idées et certains auteurs que j'aime infiniment mais qui ne pouvaient tous figurer dans un ouvrage volontairement aussi synthétique. Surtout, pour des raisons de fond autant que pédagogiques, je m'étais efforcé de présenter toutes les philosophies auxquelles je consacrai un exposé substantiel selon trois axes fondamentaux : la théorie, l'éthique ou la morale, la doctrine du salut ou de la sagesse. C'était là une présentation en parfait accord avec la chose même. Il n'en existe pas moins, en marge de ces trois avenues majestueuses, une pluralité presque infinie de ruelles et de clairières, de chemins de traverse et de sentiers qui forment une des richesses les plus admirables de la pensée philosophique. C'est pour en donner un aperçu que j'ai rédigé la troisième partie. On y trouvera, présentées sous forme de petits exposés aussi pédagogiques qu'il m'est possible, quelques-unes de ces idées que je conseillerais à tout un chacun d'emporter, comme on dit, sur l'île déserte. Bien entendu, je les ai choisies en fonction du lien qu'elles entretiennent avec mon propos principal. On trouvera ainsi une série de réflexions – de Hegel, Popper, Sartre, Heidegger, mais aussi Marx, Nietzsche et Freud – sur ce qu'est et n'est pas la philosophie par rapport à d'autres régions de l'esprit – science, art, religion, idéologies… On abordera aussi – avec les utilitaristes anglais, puis avec Kant et Rousseau – certains prolongements particuliers mais au plus haut point significatifs des visions morales qu'ils ont puissamment contribué à construire touchant, d'une part, la question du droit des animaux et, de l'autre, la philosophie de l'éducation. Enfin, j'expose pour conclure une pensée de Pascal sur l'amour : elle est non seulement d'une profondeur abyssale en elle-même, mais elle touche en outre à ce qui, dans le christianisme, parle autant aux non-croyants qu'aux croyants et qui, comme tel, forme un passage entre pensée chrétienne et philosophie laïque. Ce sont elles qui m'ont incité, comme je l'indique en conclusion, à poursuivre mes réflexions sur la sagesse de l'amour au sein d'un monde largement sorti du religieux.

I

Qu'est-ce que la philosophie ?

Une brève histoire des « doctrines du salut sans Dieu »

Je sais bien qu'il peut paraître ambitieux à l'excès de vouloir présenter d'un seul trait une définition ainsi que les éléments d'une histoire, fût-elle brève, de la philosophie. C'est, comme on dit chez moi, chercher à faire tenir la dinde dans le marron. Je suis le premier à en avoir conscience et je mesure d'emblée l'ampleur et la légitimité des critiques qu'on pourra m'adresser. Pour autant, l'exercice ne m'apparaît pas dénué de sens, pourvu du moins qu'on le prenne pour ce qu'il est : une tentative d'ouvrir une brèche, de trouver un angle qui vous permettra, je l'espère, de saisir une certaine idée de la philosophie. Son histoire, même esquissée à grands traits, est si passionnante qu'elle vous donnera peut-être l'envie d'aller y voir par vous-mêmes de plus près. C'est cela, cette étincelle qui peut mettre l'esprit en marche, et rien de plus, que j'aimerais, autant qu'il m'est possible, vous transmettre aujourd'hui. Et c'est seulement à cette aune, fort modeste en vérité, que je vous demande de juger les propos qui vont suivre.

Je commencerai par un constat commun : si vous prenez le temps de jeter un œil aux ouvrages de synthèse, manuels scolaires ou livres d'initiation divers qui d'ordinaire prétendent introduire à la philosophie, vous y verrez que cette dernière s'y trouve le plus souvent définie comme un « art de la réflexion », un « exercice de l'esprit critique », voire comme une « initiation à l'argumentation ». Selon la tradition républicaine qui préside à la création de la classe de terminale de nos lycées, la philosophie serait par excellence cette « discipline de la méthode » dont l'idéal serait que chacun puisse un jour parvenir à « penser par lui-même ». Combien de fois n'ai-je pas entendu des parents d'élèves m'assurer qu'ils se réjouissaient de voir enfin leur fils ou leur fille entrer en classe de terminale, attendu que la philosophie leur « mettrait un peu de plomb dans la tête », leur apprendrait certainement à penser avec davantage de « rigueur » et de « réflexion »... Comme si la philosophie n'apprenait rien que de formel, la conviction s'est répandue que cette discipline, essentiellement critique, s'enracinerait d'abord et avant tout dans une faculté de s'étonner, de remettre en cause soi-même et les autres, de réveiller des sommeils dogmatiques, de sorte que, selon un autre lieu commun de notre enseignement, elle serait bien davantage l'art des questions que celui des réponses...

Cette vision des choses, je le crains, risque de vous induire en erreur. Certes, elle n'a rien d'indigne. Elle s'inscrit même dans une histoire que je trouve plutôt belle et légitime : celle de notre tradition républicaine qui considère – et c'est bien l'idée qui est au cœur de la création de la classe de terminale – qu'il faut, pour exercer convenablement ses responsabilités de citoyen, être capable d'autonomie intellectuelle. De même qu'une certaine indépendance financière peut s'avérer utile pour ne pas voter comme un seul homme sur le modèle de ses « maîtres » (ce que les partisans du suffrage censitaire font valoir avec quelque raison à l'époque), de même, il faut avoir une certaine autosuffisance sur le plan moral et intellectuel pour que le droit de vote ne soit pas une supercherie. Voilà d'ailleurs l'esprit dans lequel, en septembre 1809, une « classe de philosophie » est créée qui a, selon les termes du décret qui la définit, pour mission de faire étudier aux élèves « les fondements de la logique, de la morale et de la métaphysique » ainsi que les principales « opinions des philosophes ». Il s'agit par là de préparer les jeunes gens à l'entrée dans l'âge adulte qui suppose, en effet, réflexion, esprit critique, capacité à argumenter en comparant la validité des différents choix éthiques et intellectuels possibles sur un sujet donné.

Tout cela est fort bien et c'est peu dire que je n'ai rien contre les cours d'instruction civique. Simplement, je vous le dis d'entrée de jeu, la philosophie n'a en vérité rien à voir avec cet art de la réflexion critique à laquelle on a si souvent voulu la réduire. Non, bien entendu, qu'elle n'y recourrait pas. Il est clair qu'il est toujours préférable, et *a fortiori* en philosophie, de réfléchir, d'argumenter et de penser si possible par soi-même plutôt que comme un perroquet. Mais cela est aussi vrai dans toutes les autres disciplines de la vie de l'esprit : qui oserait prétendre sérieusement qu'un mathématicien, un biologiste, un artiste, un écrivain, mais aussi bien une mère de famille, un journaliste, voire un politique ne réfléchissent ni n'argumentent, et si possible par eux-mêmes ? Il n'y a rien là de spécifique à la philosophie. Tout le monde réfléchit et argumente comme « tout le monde dit *I love you* ». Prétendre que la philosophie aurait en la matière quelque monopole que ce soit est tout simplement ridicule.

Gagnons donc du temps : je vous propose de partir de l'idée que, fondamentalement, la philosophie, je veux dire *toutes les grandes visions philosophiques de Platon jusqu'à Nietzsche* et ce, sans exception aucune[1], est une tentative grandiose pour aider les humains à accéder à une « vie bonne » en surmontant les peurs et les « passions tristes » qui les empêchent de bien vivre, d'être libres, lucides et, si possible, sereins, aimants et généreux. Si on désigne par le mot « *salut* », comme nous y invitent les dictionnaires, « le fait d'être *sauvé* » (c'est la même étymologie) d'un « grand danger ou d'un grand malheur », alors, les grandes visions philo-

1. La deuxième partie de ce livre tente d'apporter des réponses aux objections qu'on a pu me faire sur ce point.

sophiques du monde sont d'abord et avant tout des doctrines du salut.

Vous me direz sans doute que cela sonne un peu trop « religieux » pour être honnête et qu'à vouloir définir ainsi la philosophie, on risque de ne plus voir la différence avec les religions ! En plus, il semble bien qu'il y ait quand même dans la philosophie une dimension purement intellectuelle, « théorique » ou « spéculative », comme on dit, une recherche de la vérité pour la vérité, une visée de simple « compréhension de ce qui est », selon la formule de Hegel, dont cette approche ne paraît pas rendre compte. J'y reviendrai un peu plus loin. Mais, là encore, gagnons du temps et permettez-moi, même si c'est encore un peu abrupt pour le moment, d'aller directement à l'essentiel : les grandes religions nous promettent, elles aussi, c'est vrai, que nous allons pouvoir grâce à elles surmonter nos peurs les plus profondes et parvenir ainsi à une vie bonne. Mais elles le font cependant à une condition bien précise : c'est que nous nous en remettions pour cela tout entiers et sans réserve à un Dieu transcendant en lequel nous devons avoir foi et confiance (le mot latin *fides* désigne d'ailleurs à lui seul ces deux composantes de la croyance religieuse). Pour être sauvé, il faut passer *par la foi et par un Autre*. La philosophie nous promet bien la même chose, mais elle nous assure que nous pouvons y arriver *par la raison et par nous-mêmes* ! Différence abyssale qui fera d'ailleurs regarder les philosophes, par les chrétiens notamment, comme des arrogants, aussi suffisants en un sens qu'insuffisants en un autre. C'est ainsi qu'Augustin, déjà, n'a pas de mots assez durs pour stigmatiser ceux qu'il appelle les « superbes », c'est-à-dire les philosophes qui prétendent contre toute évidence de foi pouvoir s'en « tirer tout seuls ». Vanité de la philosophie, dira encore Pascal, quelques siècles plus tard...

Et, de fait, c'est vrai, les grandes visions du monde philosophiques sont bel et bien des « doctrines du salut sans Dieu ». Que vous lisiez Épictète, l'un des plus importants penseurs stoïciens, ou Épicure et Lucrèce, qui furent les adversaires les plus résolus du stoïcisme, tous les philosophes de l'Antiquité s'accordent du moins sur ce point : la philosophie a bien pour but de nous aider à surmonter les peurs qui empêchent les êtres humains de vivre bien – libres, lucides et généreux, capables de penser, d'agir et d'aimer.

Mais il nous faut faire un pas de plus : en quoi consistent au juste ces peurs dont la philosophie prétendrait nous « sauver » par d'autres voies que celles de la foi en un Être suprême ? Et pourquoi ne relèveraient-elles pas, après tout, de la psychologie et de la religion plutôt que de la philosophie ?

Sans entrer bien loin dans les détails, nous pourrons nous accorder assez aisément sur le fait que nos vies sont « cernées » par quatre peurs fondamentales.

Il y a d'abord les dangers bien réels, qui, en un sens, ne soulèvent guère de question : il n'y a rien de mal ni de mystérieux à avoir peur dans un accident ou toute autre circonstance de la vie qui nous expose brutalement au risque de la mort.

Mais il y a bien d'autres peurs, plus subtiles, moins aisément repérables, comme le sont d'abord les peurs sociologiques qui nous saisissent lorsque nous sommes « mal à l'aise » dans une situation sociale un peu délicate, face à un hôte prestigieux, dans l'obligation de parler en public, dans un milieu autre que le nôtre et que nous manquons, comme on dit, d'aisance et de distinction. Alors nous rougissons, nos gestes se font empruntés, nos propos embarrassés, et nous éprouvons, presque physiquement, le poids d'une inadaptation sociale...

À quoi s'ajoutent, si l'on va plus profond dans le cœur de l'être humain, les angoisses psychiques, à commencer par celles que les psychanalystes nomment « phobies » : peur du noir chez les enfants (et combien d'adultes encore !), peur des algues au fond de l'eau, peur d'être enfermé dans un espace clos (un ascenseur...), peur du cancer, de tel animal – serpent, insecte, souris, etc. Ou, dans un autre registre, plus « obsessionnel », peur d'avoir oublié de fermer le gaz, l'électricité, la porte du garage (« et si je ne me lève pas une troisième fois pour vérifier, je ne dormirai pas... »), de marcher sur les rainures du trottoir (« et si je parviens à les éviter pendant cinquante mètres, alors je gagnerai tel ou tel pari que j'ai fait avec moi-même... »), etc. Toutes ces petites peurs sont « vivables », du moins tant qu'elles n'envahissent pas la vie psychique. On peut les apprivoiser parce qu'elles restent le plus souvent circonscrites ou locales, de sorte qu'elles fonctionnent même comme de bons « mécanismes de défense », en ce sens qu'elles nous laissent la plupart du temps assez en paix pour que l'on « fasse avec » : quand on craint les ascenseurs, on peut toujours prendre l'escalier. Mais nous sentons bien qu'au-delà d'un certain seuil, l'angoisse menace toujours de rendre nos vies infernales…

Mais l'essentiel, pour la philosophie – essentiel car il va clairement au-delà de la sociologie et de la psychologie –, reste encore à venir : c'est que derrière ces trois peurs s'en dissimule toujours une quatrième, à proprement parler fondamentale en ce qu'elle commande toutes les autres : la peur de la mort, ou comme disent les philosophes, le sentiment, propre à notre espèce et sans doute à nulle autre, de la « finitude », du fait que nous sommes limités dans le temps et destinés à voir disparaître un jour ceux que nous aimons. Une remarque pour prévenir un malentendu : quoi qu'en disent certains sans bien y réfléchir, cette peur n'est pas nécessairement égocentrique, ni morbide ou pathologique. Le plus souvent même, la peur de la mort vise davantage celle des autres, ceux que nous aimons, que la nôtre. En travaillant sur la prise en charge du handicap à l'école, j'ai souvent rencontré des parents qui m'avouaient ne craindre leur propre mort que par rapport à des enfants dont ils savaient qu'ils ne pourraient pas s'en tirer sans eux. Rien d'égoïste à mes yeux dans ce sentiment-là. Et, de même, notre prise de conscience de la possibilité de la mort n'est pas nécessairement maladive. Car la mort n'est pas seulement la fin de la vie. Elle peut se confondre, tout simplement, même au sein de la vie la plus vivante et la plus joyeuse, avec cette conscience que nous avons parfois de l'Irréversible, du fait que certains événements ne reviendront jamais, que certaines situations sont définitivement passées et que le temps perdu ne se retrouve ni ne se rattrape... Dans le poème d'Edgar Poe qui s'intitule « Le corbeau », l'auteur incarne la mort en attribuant à l'oiseau la capacité de dire et répéter une phrase et une seule : *« Never more »*, plus jamais. C'est cela que j'appelle « la mort dans la vie », et c'est en quoi les enfants eux-mêmes peuvent en avoir conscience alors que la fin de la vie ne leur apparaît pourtant pas encore comme une réalité vraiment envisageable : une séparation, un divorce des parents, voire un simple déménagement peuvent suffire à l'évoquer.

C'est de ces peurs, en tant qu'elles sont liées à la dernière, que la philosophie antique – mais, comme on verra plus tard, pas seulement elle – prétend nous « sauver » autant qu'il est possible afin de nous permettre de vivre mieux, enfin libres et sereins. En quoi elle est bien, comme l'indique son étymologie, « amour de la sagesse », du moins si l'on définit le sage comme celui qui a réussi, en ce sens, à se sauver des peurs. Comme le dit Aristote à la fin de son grand livre de morale, *Éthique à Nicomaque*, nous devons travailler à nous rendre « immortels autant qu'il est possible ». Épicure et Épictète, les plus éminents représentants des deux courants de pensée pourtant les plus opposés qui soient dans l'Antiquité, partagent, on l'a vu, cette conviction : il faut que *toutes* nos pensées – toutes : pas quelques-unes ! – s'attachent d'abord et avant tout à surmonter cette peur première qui parasite nos existences.

Encore une remarque préalable, pour la clarté du propos, avant d'entrer davantage dans le vif de notre sujet.

Les trois interrogations fondamentales de la philosophie

Comme vous allez le comprendre dans ce qui suit, les grandes philosophies se construisent toujours autour de *trois grands axes, qui correspondent à trois interrogations fondamentales.* Cela vaut aussi bien pour les stoïciens, comme nous allons le voir dans un instant, que pour Spinoza, Kant, Nietzsche ou même Heidegger. Il est important d'en avoir les principes présents à l'esprit si l'on veut bien comprendre en quel sens les grandes visions du monde philosophiques sont bel et bien de magnifiques doctrines du salut sans Dieu.

Le premier axe est celui de la théorie, c'est-à-dire de l'activité intellectuelle qui vise à se faire une idée du monde naturel mais aussi politique et social, dans lequel notre existence va se dérouler. Il s'agit, si j'ose cette métaphore, de *connaître le terrain de jeu qui est celui de notre vie* : est-il lourd ou sec, beau ou laid, hostile, favorable, risqué, chaotique, harmonieux, connaissable, mystérieux, etc. Quoi qu'il en soit, il faut que nous nous en fassions une idée, au moins approximative, puisque c'est en lui que tout va se passer. En quoi l'on voit d'emblée – je le signale au passage mais c'est un point réellement fondamental – ce qui va distinguer, sur ce plan, la philosophie des sciences positives : ces dernières, bien sûr, sont indispensables à la première, car pour se faire une représentation aussi juste que possible de notre monde, il vaut mieux partir des connaissances que les savants en ont – du reste, l'immense majorité des philosophes dignes de ce nom s'intéressent, et souvent de très près, aux sciences de leur temps. Par où l'on voit comment la philosophie est bien aussi recherche de la vérité, tentative de comprendre ce qui est. Pour autant, la visée philosophique n'est pas celle de la science et la vérité qu'elle cherche n'est pas neutre : car il s'agit de se faire une idée globale du monde et non d'en connaître telle classe d'objets particuliers et, qui plus est, de s'intéresser à la question de savoir comment nous allons habiter cette maison-là, ce que nous allons pouvoir y faire et y vivre – toutes questions existentielles qui ne sont pas celles des sciences en tant que telles. C'est aussi ce qui fera que des philosophies – comme c'est le cas de toutes les philosophies anciennes –, dont les références scientifiques sont invalidées de part en part par les découvertes les plus modernes, continueront cependant à nous parler et même à posséder une certaine validité à nos yeux.

Le deuxième axe découle immédiatement du premier : après s'être fait une idée du terrain de jeu, il faut en connaître les règles, saisir les lois de ce jeu que nous allons jouer avec d'autres et qu'il nous faudra bien respecter. C'est là, on l'aura compris, *la question de la morale ou de l'éthique* (je ne ferai pas ici de différence entre ces deux mots qui ne se distinguent *a priori* par rien d'autre que l'étymologie, latine pour l'un, grecque pour l'autre).

Un troisième axe vient la compléter qui vise à cerner cette foi-ci le but, c'est-à-dire la finalité ou le sens du jeu. Nous entrons là dans une sphère qui n'est plus celle de la morale proprement dite, mais de la *sagesse, de la spiritualité et du salut.* On me dira que certains philosophes, Spinoza ou Nietzsche par exemple, rejettent la question du sens, qu'ils la déconstruisent et la font voler en éclats pour en libérer les hommes. Je répondrai qu'ils n'en élaborent que mieux une doctrine du salut sans Dieu, une tentative de sauver les hommes des peurs qui les empêchent de vivre et qui pour eux sont liées davantage aux illusions du sens qu'à la vérité de l'absence de sens. Nous aurons l'occasion d'éclaircir ce point par la suite.

Mais assez parlé dans l'abstrait. La définition de la philosophie est un grand sujet. Rien ne vaut cependant un exemple concret pour que vous compreniez mieux cette notion de « doctrine du salut sans Dieu ». Je commencerai par évoquer le cas du stoïcisme, parce qu'il est illustratif entre tous : il présente à mes yeux de la façon la plus claire et la plus parlante ce que la philosophie grecque a pu élaborer de plus profond en matière de salut sans Dieu à partir de la représentation du monde – de la « cosmologie » – qui dominait alors largement l'Antiquité.

L'archétype des doctrines du salut sans Dieu : le cas du stoïcisme

L'école stoïcienne naît dans la Grèce – à Athènes – du IVe siècle avant Jésus-Christ et son père fondateur est Zénon de Cittion (à ne pas confondre avec l'autre Zénon, celui d'Élée et des paradoxes). Il existe alors de nombreuses écoles de philosophie qui, pour la plupart, tiennent leur nom du lieu où enseigne le maître. En l'occurrence, Zénon tenait ses réunions sous un portique (*stoa* en grec), à l'abri d'arcades où ses élèves se pressaient pour venir l'écouter. De là, tout simplement, le nom de sa philosophie qui traversera les siècles jusqu'à nous – *via* ses principaux représentants, Épictète, un esclave, Sénèque, un conseiller de Néron, et Marc Aurèle, qui fut empereur de Rome à la fin du IIe siècle après Jésus-Christ. Si l'on veut comprendre son message, le plus simple est de reprendre les trois axes que je viens d'évoquer devant vous.

Theoria, donc, pour commencer. L'étymologie du mot – l'une d'entre elles à tout le moins, qui se rencontre déjà dans l'Antiquité – est, à défaut d'être certaine, particulièrement intéressante et significative : *theion orao* – je vois (*orao*) le divin (*theion*). Qu'est-ce à dire ? La théorie philosophique aurait donc pour but de « voir le divin » ? Ne vous ai-je pas expliqué à l'instant même que les grandes philosophies, à commencer par le stoïcisme, étaient des « doctrines du salut *sans Dieu* » et que la *theoria* y visait essentiellement à comprendre le monde, le terrain de jeu dans lequel nous allons vivre ? Cela paraît contradictoire... sauf que le divin des stoïciens n'a rien à voir avec le Dieu transcendant, extérieur au monde car créateur du monde, des religions monothéistes. Radicalement immanent au réel, il se confond au contraire avec l'*ordre* (*cosmos*) du monde en tant que tel.

Si vous voulez le comprendre, imaginez-vous à peu près ceci : pour les stoïciens, qui sont à cet égard l'aboutissement de la grande tradition philosophique grecque qui commence avec Parménide et se poursuit à travers les œuvres de Platon et Aristote, le monde doit être pensé avant toute chose comme un ordre magnifique, à la fois harmonieux, juste, beau et bon. C'est là ce que désigne en grec le mot *cosmos* (ordre), et qui, en français, a donné notamment le mot cosmétique (l'art de mettre en valeur l'ordre harmonieux des corps et des visages, tout en dissimulant si besoin, au passage, ce qui l'est moins par les effets du maquillage...). Pour les stoïciens, le monde est un ordre organisé. Il est exactement à l'image de ce qu'un médecin, physiologiste ou biologiste, découvre lorsqu'il ouvre le ventre d'un lapin ou d'une souris : non seulement chaque organe est merveilleusement fait pour remplir sa fonction (son *ergon* : quoi de mieux fait qu'un œil pour voir, que les poumons pour aérer les muscles, que le cœur pour les irriguer de sang, etc. ?), mais, en plus, l'ensemble forme un tout parfaitement cohérent, « logique », si l'on peut dire, infiniment supérieur à toutes les machines fabriquées par les hommes.

Voilà pourquoi cet ordre cosmique, ce *cosmos*, peut être dit tout à la fois divin (*theion*) et logique (*logos*) : *theion* parce que toute cette merveilleuse harmonie cosmique n'est pas créée par les hommes. Nous ne l'*inventons* pas, nous nous contentons de la *découvrir* ou de la *dévoiler*, ce qui n'est pas la même chose. Et *logos*, parce que ce monde harmonieux est bel et bien cohérent, voire rationnel, de sorte que nous pouvons parvenir à saisir ce divin-là par les seules forces de notre raison théorique, de notre intelligence, sans recourir aucunement à la foi. En d'autres termes, si le *theion* est *logos*, si le divin est logique, c'est parce que, bien que non créé par les hommes, il n'est pas non plus, comme le Dieu des juifs et des chrétiens, extérieur et supérieur au monde. Il est tout au contraire la structure même de ce monde où nous vivons, son essence la plus intime. Si j'insiste ici à ce point sur les termes grecs, et notamment sur l'équivalence entre le *theion* et le *logos*, ce n'est pas par une forme de cuistrerie bien inutile, mais parce qu'ils nous seront tout à l'heure indispensables pour comprendre comment le christianisme va les reprendre et les détourner de manière décisive à son profit en vue d'élaborer une toute nouvelle doctrine du salut.

Voici donc la première tâche de la philosophie – en quoi elle est bien aussi et même d'abord recherche de la vérité, compréhension de ce qui est : il s'agit de se faire une idée juste du monde, en l'occurrence, pour les stoïciens, de l'ordre organique et harmonieux dans lequel notre existence tout entière va prendre place.

Question toute simple : pourquoi un tel effort théorique ? À quoi sert-il ? Que prépare-t-il ? Et pourquoi nous faut-il y consacrer tant de temps ?

Réponse : pour nous élever jusqu'à la deuxième sphère de la philosophie, à savoir celle de la morale ou de l'éthique. S'il faut pratiquer assidûment la théorie, au point d'y consacrer la plus grande part de sa vie, c'est parce qu'elle nous dévoile un ordre cosmique auquel il va nous falloir nous *ajuster*. Le juste, en ce sens, c'est ce qui est « ajusté », ou pour le dire autrement, la justice se confond avec la « justesse ». L'idée fondamentale, ici, c'est que, dans cet ordre cosmique dévoilé par la théorie, chacun d'entre nous a sa place, son « lieu naturel », comme dit Aristote, et que la justice consiste fondamentalement dans l'effort que nous faisons pour nous y ajointer. Comme un luthier ajuste les petites pièces de bois qui composent un violon afin qu'elles entrent toutes en harmonie les unes avec les autres (et si l'âme de l'instrument, c'est-à-dire le petit bâtonnet qui relie la table et l'éclisse, ou encore son chevalet par exemple sont mal placés, alors il cesse de bien sonner), nous devons trouver notre lieu de vie et le rejoindre sous peine de ne pas être en mesure d'accomplir notre mission (*ergon*) au sein du grand tout de l'univers.

Comme l'a montré de manière lumineuse l'un de nos meilleurs spécialistes de l'Antiquité, Pierre Hadot, du temps des grandes écoles grecques, la philosophie ne s'était pas encore réduite à un discours, à un commentaire réflexif portant sur des notions abstraites – comme nos programmes républicains nous invitent à le croire aujourd'hui. Non, elle était d'abord et avant tout une pratique, car elle visait la sagesse, l'art de vivre et pas seulement celui de la parole ou même de la pensée. Voilà pourquoi les philosophes, dans leurs écoles, invitaient leurs disciples à pratiquer des « exercices d'éthique » ou de sagesse. On raconte ainsi que le maître de Zénon, Cratès, demandait à ses élèves de tirer un poisson mort par une petite laisse tout au long de la place du marché à Athènes. Comme vous pouvez l'imaginer, le malheureux était aussitôt victime de moqueries et de quolibets en tout genre. Quel était le but de l'exercice ? Tout simplement que l'élève apprenne lui-même à se moquer du qu'en-dira-t-on, qu'il détourne son regard des conventions sociales futiles et artificielles pour le tourner, en une véritable conversion, vers la réalité cosmique de l'ordre naturel où il devra, pour bien vivre, trouver sa place et sa fonction propres.

Longtemps encore, dans le droit romain et jusqu'à la fin du Moyen Âge, on définira la justice comme un ordre social qui imite l'ordre cosmique et attribue ainsi, « à chacun le sien », sa place et ce qui lui revient selon la nature. Longtemps aussi, dans cette perspective, le rôle du juge sera comparé à celui du médecin car il remet de l'ordre dans le corps social et le répare, comme ce dernier remet de l'ordre dans le corps organique lorsque la maladie l'a bouleversé. Voilà d'ailleurs la raison pour laquelle, au Moyen Âge, on jugeait parfois les animaux au même titre que les humains – non parce qu'on les croyait à proprement parler responsables et coupables, mais tout simplement pour rétablir l'ordre qu'ils avaient, le cas échéant, rompu…

Mais, à nouveau, la question revient : pourquoi tant d'efforts ? Après celles de la théorie, les exigences de l'éthique s'imposent sans doute à l'être humain. Mais à quoi servent-elles et quelles en sont, au juste, les finalités ultimes ? Pourquoi, après tout, faudrait-il adopter une vie éclairée et juste, conforme à la théorie et à la morale, alors que tant d'autres formes d'existence, plus faciles et plus amusantes peut-être, sont possibles ?

C'est dans la troisième sphère de la philosophie, celle de la sagesse comme condition du salut – condition puisque c'est par elle que nous pourrons surmonter les peurs et les passions tristes pour accéder à la vie bonne –, que gît la réponse. Et, comme on pouvait s'y attendre, elle touche directement la question de la mort, des tourments qu'elle suscite et de la conception de la sagesse qui convient pour nous en délivrer – en quoi, pour l'essentiel, consiste la promesse philosophique du salut. Voyons cela d'un peu plus près.

Comme le rappelle Hannah Arendt dans *La Crise de la culture,* il existait dans la culture commune des Grecs, avant même l'apparition de la philosophie, deux façons de vaincre la mort « autant qu'il est possible ».

D'abord, bien sûr, avoir des enfants, une « descendance », comme on dit. Et, de fait, bien avant d'en connaître les raisons génétiques, chacun pouvait constater que tel ou tel trait du visage, de la voix, peut-être même du caractère, se retrouvait ici ou là chez un enfant, fils ou fille, nièce ou neveu et qu'en cela, quelque chose de nous survivait à la mort. Cela n'est pas douteux. Mais à quoi bon ? Cela nous empêche-t-il de mourir nous-mêmes ? Évidemment non, en quoi les consolations de la descendance sont bien minces…

Une autre voie était celle de l'héroïsme. À la question du petit esclave qui lui tend son bouclier avant qu'il parte en guerre contre les Troyens et qui lui demande où il puise le courage de les affronter seul, Achille répond : je mourrai sans doute au combat, mais, contrairement au tien, mon nom retentira encore dans mille ans. Achille ne se trompait pas. Au plus profond, il y a dans l'héroïsme grec une volonté d'égaler la nature. Car les cycles naturels, qui sont répétitifs – le jour succède à la nuit, le soleil à l'orage, l'automne à l'été, etc. –, ne risquent guère de s'effacer de nos mémoires, tandis que les actions humaines sont périssables, pour ainsi dire volatiles... sauf lorsqu'elles sont si grandioses que, devenant objet d'écriture et formant le sujet d'un livre d'histoire, elles entrent dans une durée qui leur permet presque d'égaler celle de l'ordre naturel. Voilà en quoi, plus encore que la filiation, la gloire peut donner à certains le sentiment d'échapper à la mort. Mais, là encore, cela ne nous empêche guère de mourir et, pour tout dire, à quoi cela nous avance-t-il au juste que notre nom subsiste sans nous dans les rayons d'une bibliothèque ? *Vanitas vanitatis...*

Et c'est là, bien sûr, que la philosophie prend le relais. Elle nous invite à penser que le *cosmos*, l'ordre du monde que la théorie nous a dévoilé et auquel nous nous sommes ajustés par les voies de l'éthique, est éternel, tout à la fois incréé et impérissable, sans commencement ni fin. Or, une fois fondus en lui – et dans cette fusion il y a sans doute quelque chose de mystique, sinon de religieux –, nous comprenons que nous sommes nous-mêmes comme un fragment cosmique, un atome d'éternité, de sorte que, pour le sage authentique, la mort n'est plus rien de réel. Ou, pour mieux dire, elle n'est qu'un passage d'un état à un autre, un passage qui, en tant que tel, ne doit plus nous effrayer. En quoi le stoïcisme, comme vous le voyez maintenant de façon, je l'espère, assez claire, constitue bien une doctrine du salut sans Dieu.

Bien entendu, je résume ici son propos à l'extrême, au risque de l'assécher. Pour contrer un tant soit peu ce danger, je voudrais insister encore sur le fait que cette vision du salut n'aurait sans doute jamais trouvé un tel écho jusqu'à nous si elle ne s'appuyait, comme je le suggérais tout à l'heure, sur des exercices de sagesse qui viennent lui donner une chair et une profondeur que je ne puis bien sûr qu'évoquer ici. Je voudrais cependant en dire un mot pour que vous ayez du moins l'idée de ce qui a pu tant séduire dans cette doctrine stoïcienne du salut sans Dieu. Je pense notamment à ces exercices qui visaient à aider les humains à s'émanciper des deux maux qui pèsent sur toute vie humaine et qui ont pour nom le passé et l'avenir. Car ce sont là, si l'on y réfléchit, les deux foyers uniques des peurs qui nous tourmentent en vain et dont il nous faut apprendre, c'est là toute la sagesse stoïcienne, à nous « sauver » autant qu'il est possible.

Pourquoi le passé et l'avenir ? Parce que le passé, pour commencer par lui, ne cesse de nous tirer en arrière, pour ne pas dire vers le bas. A-t-il été heureux ? Nous sommes alors dans la nostalgie. Douloureux ? Nous plongeons dans les passions tristes, remords, regrets, culpabilités qui nous réveillent la nuit et nous gâtent l'existence. Nous fuyons alors le passé pour chercher refuge dans le futur et entrer, comme on dit, dans l'espérance. Mais rien n'est pire en vérité que l'espérance ! Sans cesse elle nous invite à céder aux illusions selon lesquelles « tout ira mieux après », lorsque nous aurons changé de métier, de maison, de voiture, d'amis, de femme ou de mari… Ce qui, naturellement, est tout aussi vain qu'erroné. Car les peurs et les espoirs qui gisent dans les deux dimensions non réelles du temps – non réelles puisque le passé n'est plus et l'avenir pas encore – nous font à coup sûr manquer le présent. Comme le suggère un proverbe bouddhiste – équivalent oriental de notre stoïcisme –, il faut toujours garder la maxime suivante présente à l'esprit : le moment que nous vivons ici et maintenant ainsi que les personnes qui sont avec nous à l'instant sont le moment et les personnes les plus importants de notre vie. Pour la simple et bonne raison que ce sont les seuls réels, présents ! En quoi consiste la sagesse ? Elle pourrait tenir au fond dans cette formule stoïcienne, que mon ami André Comte-Sponville a remise au goût du jour : « Regretter un peu moins, espérer un peu moins, aimer un peu plus. »

À partir du stoïcisme, deux attitudes philosophiques vont, à chaque époque de son histoire, s'affronter sans jamais parvenir à l'emporter l'une sur l'autre : l'une nous invite à nous réconcilier avec le monde, à l'aimer plutôt qu'à vouloir le transformer. L'autre au contraire nous enjoint de manière impérative d'user de notre volonté et de notre intelligence pour tâcher de l'améliorer du mieux que nous pouvons. Le conflit se retrouvera chez les modernes et les contemporains : Spinoza d'un côté, Kant de l'autre, Nietzsche et son invitation à l'*amor fati* et Marx qui reproche aux philosophes de n'avoir fait qu'interpréter le monde alors qu'il s'agissait de le transformer… De part et d'autre, les arguments sont imparables, bien sûr… sauf qu'un spinoziste n'a jamais convaincu aucun kantien ni l'inverse et que, pourtant, si l'un avait raison contre l'autre, depuis le temps, cela se saurait !

À vrai dire, ces choix philosophiques ne font que traduire et « rationaliser » des attitudes à l'égard de la vie, des attitudes, d'ailleurs, qui peuvent s'emparer de chacun d'entre nous selon les moments de l'existence. Pour le faire comprendre à ma fille Gabrielle, pour laquelle j'ai écrit mon livre *Apprendre à vivre*, je lui disais ceci : lorsque nous allons ensemble plonger à Port-Cros, que nous mettons les palmes et les masques pour voir les fonds sublimes et les poissons colorés, nous sommes plutôt du côté des stoïciens, de Spinoza, des bouddhistes et de Nietzsche. Nous ne cherchons pas à transformer ni à améliorer le monde, mais nous trouvons au contraire du bonheur à nous fondre en lui et à l'aimer. Effet garanti : nous en oublions immédiatement le passé et l'avenir pour nous réconcilier sans réserve avec le présent. Lorsque je suis ministre de l'Éducation nationale, au contraire, et que je me désole de savoir que nos enfants apprennent si mal à lire et à écrire, je suis du côté de la volonté, de la réforme, de l'amélioration du réel au nom de l'idéal, plutôt avec Kant, donc, qu'avec Épictète ou Spinoza. Alors le passé et l'avenir reprennent leurs droits… et l'on se réveille la nuit en se demandant si l'on a bien fait, si tel mot n'a pas choqué inutilement, si telle loi pourra passer, etc.

Je ne crois pas que l'on puisse trancher entre ces deux philosophies, comme si l'une avait raison et l'autre tort. Encore une fois, si tel était le cas, cela se saurait depuis longtemps. Je crois plutôt dans les vertus de la « pensée élargie », de cet élargissement de l'horizon qui nous permet parfois de comprendre comment et pourquoi quelqu'un choisit d'habiter une maison que nous n'aimons pas. Je ne développe pas davantage ce point car cela nous entraînerait trop loin : c'est toute une conception de l'histoire de la philosophie qu'il faudrait mobiliser pour l'expliquer. Ce qu'on peut dire cependant, à ce qu'il me semble, c'est que l'une des deux attitudes philosophiques, celle qui part des stoïciens, décrit nos moments de grâce, ces instants de vraie sérénité où le monde ne nous semble pas hostile, mais au contraire harmonieux et bienveillant. Ce peut être le temps d'un apéritif, sur une terrasse, un soir de douceur, dans l'eau de Port-Cros ou ailleurs : chacun d'entre vous pourra trouver en lui les exemples qui lui conviennent et lui parlent. Ce qui est sûr, c'est que dans la volonté, lorsque le passé et le futur, les regrets et les espoirs reprennent leurs droits, il n'est guère possible d'être tout à fait serein. Passionné oui, serein non. Et pourtant, comment y échapper ? Comment vivre des moments de grâce dans un monde qui prend si souvent l'allure du conflit, de la guerre, des génocides, des massacres... Je n'ai jamais rencontré de spinoziste ni de nietzschéen qui soit sérieusement capable de me répondre sur ce point. Quant à Épictète, il convenait avec une incroyable lucidité qu'il n'avait, à dire le vrai, jamais rencontré de sa vie un seul sage stoïcien et qu'il doutait que cela lui arrivât un jour avant sa mort. Après non plus, cela va sans dire...

Comme vous l'avez compris sans doute, je ne suis pas stoïcien, ni même spinoziste. Mais je trouve cette philosophie néanmoins d'une grande profondeur. Surtout, si je vous en ai dit quelques mots, c'est pour que vous commenciez à vous faire une idée concrète de ce que j'entends ici par doctrine du salut sans Dieu. Reste à suivre encore ce fil conducteur pour que vous puissiez percevoir en quel sens cette définition de la philosophie va traverser les siècles jusqu'à nous. Difficilement, il est vrai, tant elle aura du mal à se remettre du coup presque fatal que va lui porter une autre doctrine du salut, mais cette fois-ci avec l'aide de Dieu : le christianisme dont il est essentiel, pour saisir la suite de notre histoire, de percevoir pourquoi et comment il allait l'emporter pendant près de quinze siècles sur le dispositif, pourtant génial, élaboré par les Grecs.

Il est assez aisé, en effet, de voir ce que le stoïcisme a pu apporter en matière de dispositif destiné à vaincre les peurs. À un moment ou à un autre, en effet, nous avons tous envie de « lâcher prise », de nous sentir solidaires du monde qui nous entoure et nous porte, partie prenante d'une totalité qui nous englobe de toutes parts. Dans cette perspective cosmique, l'humilité a quelque chose de rassurant : par certains côtés, il n'est pas déplaisant de penser que nous ne sommes rien de plus qu'un infime fragment de cet univers merveilleux, membres entre mille autres d'une nature magnifique et que, par notre mort, nous allons la rejoindre, nous fondre en elle et continuer ainsi par d'autres voies notre existence terrestre... Mais, d'un autre côté, nous ne pouvons nous départir du désir de retrouver après la mort nos proches, ceux que nous aimons, et de les revoir bel et bien comme personnes, avec leur visage aimé, le son de leur voix, leur sourire... et non comme petits tas de poussière fondus dans l'immensité cosmique ! Le stoïcisme nous promet bien le salut, mais ce dernier reste impersonnel, pour ainsi dire anonyme, inconscient et aveugle. C'est là, bien sûr, que le bât blesse et c'est sur ce point que le christianisme, notamment par le lien qu'il établit entre l'amour et la vie éternelle, va ouvrir la brèche qui lui permettra au final de l'emporter sur la cosmologie grecque...

La victoire de la religion chrétienne sur la philosophie grecque

Pour percevoir, presque sur le vif, les motifs de cette victoire, nous possédons un document précieux – aujourd'hui presque totalement oublié, mais si parlant et limpide que j'aimerais le faire revivre un instant et vous en dire quelques mots : il s'agit des œuvres rédigées à Rome par saint Justin, le premier Père de l'Église, au milieu du IIe siècle après Jésus-Christ. Justin est d'abord philosophe et sa langue est le grec. Il est notamment l'auteur de deux *Apologies* adressées à l'empereur Antonin. Il s'agit de plaidoyers en faveur des chrétiens, destinés à rectifier les rumeurs effrayantes que certains font alors courir contre eux au sein de l'Empire : on les accuse de pratiquer l'inceste, le cannibalisme, d'adorer un dieu à tête d'âne et autres absurdités qui n'ont évidemment aucun rapport avec les rites chrétiens. De ce point de vue, les *Apologies* rédigées par Justin en l'an 150 sont des documents uniques pour savoir comment vivaient en réalité les premières communautés chrétiennes. En 160, il rédige un troisième ouvrage, un dialogue avec un rabbin du nom de Tryphon, dans lequel il tente d'accomplir le programme déjà tracé par saint Paul dans sa première épître aux Corinthiens lorsqu'il déclare dans un propos célèbre, mille fois cité mais rarement compris, que le Dieu des chrétiens est un « scandale pour les juifs » (parce qu'il s'abaisse jusqu'à s'incarner dans une personne, celle du Christ, et qu'en plus il se laisse crucifier sans réagir, double signe de faiblesse…) et une « folie pour les Grecs » (pour une autre raison que nous allons analyser dans un instant…).

Contentons-nous pour le moment de noter que tout l'intérêt du petit dialogue avec Tryphon le rabbin, c'est que Justin y explique en termes simples pourquoi, après avoir adhéré de toute son intelligence aux grandes figures de la philosophie grecque, il s'est finalement converti au christianisme parce qu'il trouvait que la doctrine religieuse du salut par lui proposée était infiniment supérieure à celle des philosophes. Ce sont ces raisons qui méritent toute notre attention, car elles en disent long sur les ressorts de la victoire du christianisme sur la philosophie grecque. J'ajoute encore un détail, car il n'est pas seulement anecdotique : Justin sera dénoncé aux autorités romaines par un de ses « collègues » philosophes, un penseur mineur du nom de Crescent, de sorte qu'il sera décapité en 165, avec six de ses disciples… et cela sous le règne de Marc Aurèle, le dernier grand philosophe stoïcien. Tout un symbole… Et comme on va le voir, la mort de Justin n'est pas sans lien avec le fond de notre propos.

Que nous dit-il, en effet ? Essentiellement ceci, qui va lui coûter la vie : le christianisme est en tout point supérieur au stoïcisme comme à toutes les autres figures de la philosophie grecque. Reprenons, pour mieux mettre en relief les points de comparaison, nos trois axes fondamentaux : théorie, éthique, doctrine de la sagesse et du salut.

Du côté de la théorie, c'est toute la conception stoïcienne du divin qui se trouve anéantie par le christianisme. C'est là ce dont témoignent de manière incroyablement condensée les premières lignes de l'Évangile de Jean, pourvu du moins qu'on en comprenne encore le sens : « Au commencement était le Verbe (*logos*)… et le Verbe est devenu chair, et il a séjourné parmi nous… » J'indique le terme grec, *logos*, que l'on traduit par « Verbe » pour que vous puissiez bien percevoir tout à la fois le lien que Jean établit très consciemment avec la philosophie grecque (qu'il connaît fort bien), et en même temps le formidable détournement de sens qu'il lui fait subir. Comme la culture chrétienne est en chute libre, vous me pardonnerez de faire un petit rappel…

Au commencement, donc, était le « Verbe divin », le fameux *logos* : jusque-là tout va bien, les stoïciens sont d'accord avec les chrétiens. Car, oui, au commencement il y a bien pour eux aussi de toute éternité un ordre cosmique que l'on peut nommer divin (*theion*) en ce sens que, non créé par les hommes, il est éternel, harmonieux, juste et bon, parfaitement ordonné et pour ainsi dire « logique ». Que l'on associe le *logos* et le divin n'a donc rien de choquant pour un stoïcien, bien au contraire. En revanche, avec la suite du texte de Jean, tout se gâte : selon les chrétiens, le *logos* se serait transformé en chair ! Je vous rappelle que, dans le texte de Jean, bien sûr, cela signifie que Dieu, le Verbe (*logos*) divin, s'est incarné dans la personne humaine du Christ, dans la figure de l'homme-Dieu, Jésus, qui a séjourné parmi nous, les simples humains. C'est le moment de l'incarnation qui est donc ici évoqué par Jean. Or, pour les stoïciens, que le *logos* cosmique puisse s'incarner dans une personne, fût-ce celle du Christ, c'est évidemment l'absurdité même ! La folie dont parle saint Paul, justement, et c'est cela que Marc Aurèle et les siens ne pardonneront pas à Justin. Car, vous vous en souvenez, pour les stoïciens, le divin, le *logos*, c'est *la structure même du monde*, l'ordre parfait de l'univers en tant que tel. Rien qui puisse par conséquent s'incarner dans un individu, dans une personne, mais au contraire une perfection *supra*-individuelle, et, comme telle, tout aussi anonyme qu'aveugle. Or, à l'époque – voire aujourd'hui encore, dans certains coins du monde –, on ne plaisante pas avec la conception du divin, de sorte que le malheureux Justin va y perdre sa vie...

En d'autres termes et pour nous résumer, ce que la théorie chrétienne nous dévoile ou du moins prétend nous dévoiler, c'est tout simplement une figure inédite du divin qu'elle reprend au moins pour une part aux juifs : il s'agit tout à la fois d'un Dieu totalement transcendant par rapport à l'ordre du monde (ce qui ne colle déjà plus du tout avec la conception stoïcienne du *logos* alors même que Jean n'hésite pas à reprendre le même terme grec aux stoïciens pour en bouleverser radicalement la signification), mais aussi d'un Dieu qui peut, tout en restant mystère et transcendance, s'incarner dans une personne quasi humaine, celle de Jésus...

Et, face à cette conception radicalement antigrecque de la divinité, ce n'est plus la raison qui convient, mais la foi ou la confiance : c'est parce que Jésus est une personne, et non une structure anonyme et aveugle, parce qu'il a réellement séjourné parmi les hommes, parce que certains ont pu le rencontrer, le voir, le toucher, l'entendre parler et même parler avec lui, qu'ils peuvent avoir foi et confiance en lui. La Providence n'est plus un destin aveugle, une logique qui s'identifie au cours éternel et intangible du monde, comme chez les stoïciens, mais la promesse d'une attention bienveillante et personnelle dans sa source (Jésus) comme dans son objet (nous les simples humains)... Conséquence : *du divin cosmos et de la raison qui le saisit, nous passons au Dieu tout à la fois trans-*

cendant (hors du monde) et personnel, ainsi qu'à la foi comme seul instrument capable de l'appréhender.

Du côté de l'éthique – notre deuxième sphère de la philosophie après celle de la théorie –, les choses vont changer elles aussi du tout au tout. Là encore, permettez-moi d'aller directement à l'essentiel : dans la tradition de la cosmologie grecque, chez Platon, chez Aristote comme chez les stoïciens, la vertu se définit avant tout de manière aristocratique, comme une forme d'*excellence naturelle.* N'oubliez pas que le monde grec est un monde qui repose sur l'esclavage, sur le principe hiérarchique selon lequel il y a des bons et des mauvais par nature, des êtres qui, de naissance, sont faits pour commander, pour être en haut, et d'autres pour obéir et être en bas. C'est d'ailleurs la raison pour laquelle, dans son grand livre de morale, *Éthique à Nicomaque,* Aristote peut parler d'un œil ou d'un cheval « vertueux ». Alors que pour nous, modernes, héritiers du christianisme, la vertu morale est indissociable de la notion de mérite, dans le monde aristocratique, elle est essentiellement liée à celle de don ou talent *naturel.* Un œil vertueux, c'est tout simplement un œil qui voit parfaitement, qui est excellent selon la nature pour remplir au mieux sa fonction. Il est ainsi à égale distance entre ces deux défauts extrêmes que sont la myopie et la presbytie, comme le courage, pour prendre un autre exemple, se situe entre la lâcheté et la témérité. Il y a ainsi une hiérarchie naturelle des êtres, des hommes comme des yeux ou des chevaux, et l'ordre juste consiste dans le fait de mettre chacun à la place naturelle qui lui revient dans l'ordre cosmique.

C'est cette définition naturaliste et aristocratique de la vertu que le christianisme va faire littéralement voler en éclats. Son argumentation est simple et on en retrouvera la version sécularisée dans nos doctrines morales républicaines et humanistes, par exemple dans les premières pages des *Fondements de la métaphysique des mœurs* de Kant : certes les talents naturels – l'intelligence, la force, la beauté, la mémoire, etc. – sont des qualités. Mais pour autant, ils n'ont rien à voir avec la vertu. La preuve ? Il suffit de réfléchir au fait que tous les talents et dons naturels, et ce sans la moindre exception, peuvent être mis tout autant au service du bien que du mal ! On peut utiliser son intelligence ou sa beauté tout autant pour tuer que pour aider son prochain et cela seul suffit à prouver que l'excellence naturelle n'a aucun rapport avec l'éthique. CQFD ! De là, une nouvelle vision morale du monde, en rupture complète ou presque avec celle qui a dominé le monde grec : car la vertu éthique, si elle ne dépend plus de la nature et ne se confond plus avec une excellence quasiment donnée à la naissance, relève désormais de la *liberté*. Ce qui compte, ce n'est pas ce qui nous est donné au départ, mais, comme dans la parabole des talents, *ce que nous allons en faire.*

Il faut bien mesurer toute l'ampleur de la révolution chrétienne : ce que le christianisme invente, avec cette argumentation simple en apparence, c'est tout bonnement la notion moderne d'humanité, l'essence de l'idée démocratique en tant que telle, la conviction que *tous les êtres humains se valent, qu'ils sont absolument égaux* a priori, *du moins en dignité, c'est-à-dire sur le plan éthique.* Car si les talents naturels diffèrent entre les uns et les autres, et cela nul ne peut sérieusement le contester, en revanche, dès lors que ce qui compte sur le plan moral n'est pas la nature de départ mais l'usage que nous en faisons librement, nous nous retrouvons tous à égalité : le petit trisomique a autant de valeur éthique qu'Einstein ou Spinoza – et le maltraiter sera désormais puni de la même façon que s'il s'agissait d'un génie. Avec cette idée nouvelle, révolutionnaire à l'époque – et qui le restera longtemps encore –, le christianisme nous fait entrer dans l'espace de pensée que l'humanisme n'aura, si je puis dire, plus qu'à séculariser pour en faire sortir les principes fondamentaux de la démocratie moderne. En quoi, qu'on le veuille ou non, nous sommes tous – ou presque – héritiers des chrétiens… À bien des égards, notre grande Déclaration des droits de l'homme, fondement de notre république, ne sera que du christianisme sécularisé et il est impossible de se reconnaître en elle sans avouer une dette à l'égard du christianisme.

Mais, là encore, la théorie et l'éthique resteraient dénuées de sens si *une nouvelle doctrine du salut* ne venait pour ainsi dire couronner leurs efforts. Et c'est de ce point de vue, bien entendu, que le christianisme va l'emporter de façon décisive sur ce que Rémi Brague, dans un beau livre qui porte ce titre, désigne comme « les sagesses du monde » élaborées par les Grecs. Et l'on comprend assez aisément pourquoi : dès lors que la Providence se confond avec le cours du monde, avec la loi du *cosmos*, elle ne peut jamais être qu'anonyme et aveugle. C'est une loi naturelle, pas une loi personnelle, qui la gouverne. En revanche, lorsque le divin cesse de se confondre avec une structure impersonnelle, celle de l'ordre cosmique, pour prendre l'allure d'un Dieu conscient et bienveillant, qui plus est d'un Dieu qui s'incarne dans la personne du Christ, alors la Providence elle aussi change du tout au tout. Contrairement au divin *logos* des stoïciens, le Dieu chrétien peut nous faire des promesses, il peut nous annoncer une bonne nouvelle, et cette bonne nouvelle tient en trois mots : résurrection des corps.

Pour la comprendre, il faut rappeler que l'amour, non l'amour paradoxalement lointain du prochain, mais l'amour des proches – les deux termes, malgré leur apparente proximité, désignent tout le contraire l'un de l'autre –, est bien évidemment au cœur de la problématique du salut. Car c'est souvent la mort de l'être aimé qui nous tourmente, bien davantage encore que la nôtre. Voilà pourquoi l'amour est le nœud du problème.

Aussi le stoïcisme et le bouddhisme – sur ce point à nouveau en parfaite harmonie – nous recommandent-ils fortement de ne jamais nous attacher à rien ni à personne. Étant donné que la loi de ce monde est celle de l'« impermanence », c'est-à-dire que rien n'y est stable, alors la folie même consiste à s'attacher aux choses ou aux êtres. Folie puisque l'existence nous en séparera un jour ou l'autre et qu'ainsi nous nous préparons les pires souffrances qui soient. La vraie sagesse consiste à tout faire pour résister aux attachements. Non bien sûr qu'il faille être indifférent aux autres. Le stoïcisme et le bouddhisme recommandent au contraire, là encore sur un mode très voisin, de pratiquer la compassion et même l'amitié envers autrui. Seulement, cette compassion et cette amitié ne doivent jamais se transformer en attachement, car, un jour, de toute façon, il nous faudra mourir, tout quitter et, pour affronter la mort avec sérénité, il vaut mieux, comme on dit, se préparer à « voyager léger »... Moins nous aurons d'attachements, moins le départ sera douloureux. C'est dans ce sens qu'Épictète recommande à son disciple de se dire intérieurement, lorsqu'il embrasse sa fille ou son fils, « un jour, peut-être tout à l'heure, il mourra ». Et dans la même optique, mais plus radicale encore, le dalaï-lama suggère que la seule vie qui permette vraiment d'éviter les attachements funestes de l'amour, c'est la vie monastique. Car un père ou une mère ne peuvent résister aux liens qui se créent inévitablement avec leurs enfants et, ainsi, ils se préparent de terribles souffrances dès que la mort frappe.

On retrouve à bien des égards la même idée dans certains textes chrétiens. Par exemple chez Pascal, qui non seulement déconseille vigoureusement qu'on s'attache à un autre, mais va jusqu'à nous inviter à ne laisser personne s'attacher à nous. Car nous allons mourir, et si nous laissons, par vanité ou par narcissisme, quelqu'un se lier à notre frêle et périssable personne, alors nous préparons aussi pour lui les pires tourments. L'argumentation est tout à fait la même que chez les stoïciens ou chez les bouddhistes. Mais le christianisme n'en reste pas là. Si l'amour, en effet, est folie par excellence lorsqu'il s'attache à ce qui est périssable, en revanche, il n'a rien d'absurde ni d'illicite lorsqu'il porte sur ce qui, en l'autre, ne passe pas mais peut au contraire prétendre à l'éternité.

On dira – c'est la mode aujourd'hui – que, dans ces conditions, le christianisme ne permet qu'un amour désincarné, un amour des âmes et non des corps, car elles seules seraient éternelles. Justement pas, et une telle lecture, il faut le dire et le redire, est radicalement fausse. Car, dans le christianisme, ce n'est pas l'âme qui est éternelle, mais le composé âme/corps. C'est même là sa principale spécificité en matière de salut, sa différence spécifique d'avec les autres doctrines de l'immortalité de son temps : il nous promet non seulement la résurrection des âmes, mais bien aussi celle de la chair ! En d'autres termes, il nous promet que nous allons vraiment retrouver ceux que nous aimons après la mort, avec leur sourire, leur visage, le son de leur voix… Voilà la promesse ultime faite par Jésus, le cœur de sa Bonne Nouvelle. À quel âge, avec quel corps ? Avec le visage de l'amour, tout simplement, avec les traits, les intonations que l'on a aimés en cette vie et que la doctrine chrétienne du salut regroupe sous le beau nom de « corps glorieux »…

Pour que l'amour soit éternel, il faut seulement une condition : que cet amour soit, selon la formule d'Augustin, un amour « en Dieu », que les êtres, comme nous invite déjà à le penser le récit de la Genèse, soient reliés non seulement entre eux par l'amour de façon harmonieuse, mais surtout qu'ils soient tous deux reliés à Dieu et vivent leur amour en lui. Alors, ils se retrouveront corps et âme, comme en témoigne le fameux épisode de la mort de Lazare dans l'Évangile. Souvenez-vous : lorsque le Christ apprend que son ami vient de mourir, il pleure, comme un simple mortel qu'il est aussi. Ce qui prouve que, comme vous et moi, l'expérience de la séparation est pour lui une souffrance. Mais, cependant, il sait que l'amour étant plus fort que la mort, il va pouvoir ressusciter son ami. Et la résurrection qui a lieu est bien celle d'un corps que, pourtant, l'Évangile décrit de manière assez précise comme étant déjà entré en phase de décomposition…

Un mot sur le diable, pour mieux faire comprendre, comme par contraste, cette notion difficile d'amour en Dieu. Reprenez, là encore, le récit de la Genèse. Comme vous le savez, c'est le serpent qui y tient le rôle de la créature diabolique. Or en quoi consiste son œuvre ? Principalement dans la tentative – en l'occurrence réussie – de faire douter les hommes de la crédibilité de la parole de Dieu. Pourquoi faire cela ? Pour les séparer de Lui et les livrer ainsi à une mort tout aussi éternelle – et c'est cela l'enfer – que la vie promise à ceux qui resteraient en Dieu. En d'autres termes, à l'encontre de l'imagerie traditionnelle, le diable n'est pas au premier chef celui qui sépare les hommes les uns des autres, qui les pousse à la haine, au conflit, ou encore les fait pécher en les livrant aux supplices délicieux de la tentation. Le diable, c'est celui qui nous fait douter, celui qui met toutes ses ruses au service d'une fin unique : nous extraire de cette espèce de colonne protectrice et pourvoyeuse de vie qu'est pour un chrétien la relation à Dieu. Comme toujours, il est en concurrence avec le Créateur et ce qu'il veut par-dessus tout, c'est nous arracher à Lui pour que nous connaissions à jamais la désolation, c'est-à-dire l'horreur d'une solitude aussi infinie que mortelle.

En d'autres termes, le génie du christianisme en matière de doctrine du salut tient à cet incroyable tour de force qui consiste à inverser les termes dans lesquels la question des liens entre l'amour et la mort se posait chez les stoïciens : car, de problème majeur qu'il était, l'amour devient pour ainsi dire solution. Au lieu d'être l'origine principale de nos tourments, c'est désormais lui qui nous sauve, pourvu seulement qu'il soit amour en Dieu.

On comprend sans peine ce qui pouvait séduire Justin et, avec lui, tous ceux qui vont désormais se détacher de la philosophie grecque pour se convertir à la pensée chrétienne : au destin anonyme et aveugle, non seulement une providence personnelle et bienveillante fait place, mais, en plus, elle nous fait une promesse qui correspond en tout point à nos désirs les plus chers. Nous voulons être aimés, ne pas mourir ni voir mourir ceux que nous aimons, ne jamais connaître la désolation de la solitude éternelle... et voici que le Christ nous fait promesse d'avoir tout cela si nous lui faisons confiance. Comment lui résister ? Pourvu qu'on ait la foi, le christianisme est sans concurrent : au banc d'essai des doctrines du salut, nul ne fera jamais mieux que lui. Rien d'étonnant, donc, au fait qu'il ait réussi à vaincre la philosophie et ce, presque sans partage, pendant près de quinze siècles...

Quelques remarques, avant de poursuivre, sur l'impact à la fois décisif et très particulier du christianisme sur l'histoire de la philosophie occidentale...

J'espère vous avoir montré maintenant de manière du moins assez claire pourquoi il me semblait nécessaire de situer la philosophie par rapport aux religions et en quel sens sa définition comme doctrine du salut sans Dieu allait bien au-delà de la vulgate scolaire selon laquelle la philosophie se réduirait à l'exercice de la réflexion, de l'esprit critique, de l'argumentation, etc. J'ai cependant bien conscience du fait que certains d'entre vous ont sans doute déjà deux objections à la bouche : cette définition vaut-elle vraiment pour toutes les philosophies ? N'y a-t-il pas des contre-exemples évidents – Machiavel, Popper, Habermas, Sartre, Deleuze, Foucault, pour n'évoquer que quelques noms d'auteurs que la problématique du salut ne semble guère préoccuper ? Et, qui plus est, pourquoi ne parler ici que de la philosophie occidentale, que de la religion chrétienne ? N'y a-t-il pas d'autres traditions philosophiques, d'autres religions à prendre en compte, notamment dans le monde oriental ?

Ces interrogations sont tout à fait légitimes. La première, notamment, qui porte sur la définition même de la philosophie, me paraît cruciale : les objections qu'on m'a faites sur ce point m'ont permis d'affiner et d'approfondir considérablement ma présentation de la philosophie comme doctrine du salut sans Dieu et je suis reconnaissant à ceux qui les ont formulées. J'y reviendrai longuement plus loin pour vous indiquer les réponses que je leur ai apportées[1]. Mais il me faut dès maintenant résoudre un problème classique, décisif pour la compréhension de la suite de l'histoire de la philosophie : y a-t-il, oui ou non, une philosophie chrétienne ? Car, de toute évidence, il y a en tout cas de très grands philosophes chrétiens : Augustin, Thomas, Pascal, bien sûr, mais aussi, plus près de nous, Kierkegaard, Teilhard de Chardin, Simone Weil, Etty Hillesum, Edith Stein… Comment les situer par rapport à ma conception de la philosophie comme doctrine du salut sans Dieu ? Sous prétexte qu'elle serait doctrine du salut avec Dieu, et non sans lui, une pensée ne serait donc plus philosophique ?

---

1. Dans la deuxième partie de ce livre.

Oui et non. Après ce que nous avons vu ensemble, la réponse peut être assez simple.

Oui, bien entendu, il y a, en un sens très précis, une philosophie chrétienne, un usage de la raison pour contribuer à l'élaboration de la doctrine du salut. À vrai dire, comme saint Paul le déclare déjà, la raison humaine, malgré la place éminente et même bien supérieure qu'occupe la foi, conserve deux usages légitimes.

D'une part, il nous faut l'utiliser pour comprendre les Écritures. En effet, le Christ s'exprime par symboles et par paraboles. Cela lui permet sans doute de toucher plus aisément le cœur des hommes, même les plus simples. Mais ce genre littéraire n'en suppose pas moins, une fois le cœur touché, un travail réflexif et rationnel d'interprétation et rien ne nous interdit, tout au contraire, de méditer ses paroles, d'aller y voir de plus près, plus profond, afin d'en saisir le sens ultime. Pour cela, bien sûr, il nous faut user de notre raison et, en ce sens, philosopher.

D'autre part, outre les Écritures, il nous faut aussi comprendre la nature, laquelle, en tant qu'œuvre de Dieu, doit bien porter la trace de la splendeur du Créateur. En quoi, à nouveau, comme on voit chez saint Thomas ou chez Teilhard, une philosophie de la nature est nécessaire. Comme le dira Jean-Paul II dans sa dernière encyclique – *Foi et raison* –, si un peu de science nous éloigne de Dieu, beaucoup nous y ramène, de sorte qu'il faut laisser toute liberté aux philosophes et aux savants qui usent fort utilement de leur raison.

Il y a donc bien, du moins dans un premier temps, une place pour la philosophie au sein du christianisme.

Mais, dans un second temps, cette place devient précaire, et tout à fait secondaire par rapport à celle de la foi. Car, d'évidence, même s'il ne peut y avoir de contradiction entre les vérités de raison et les vérités révélées, il n'en reste pas moins que ce sont ces dernières qui doivent guider la raison et l'emporter sur elle. Car c'est bien évidemment de la foi et non de la raison, de la religion et non de la philosophie que dépend désormais l'essentiel, à savoir le salut. Non seulement il faut croire – avoir foi et confiance – en la parole du Christ pour que sa promesse nous sauve des peurs liées à la finitude humaine (sinon ça ne marche pas !), mais, en outre, c'est de la foi, qui est d'abord une grâce, et non de nos œuvres (de nos bonnes actions) que dépend avant tout le salut.

Voilà pourquoi, dans l'optique chrétienne, la philosophie va devenir, selon le mot d'un théologien chrétien du IXe siècle, saint Pierre Damien, qui sera appelé à une longue postérité, « la servante de la religion ». Très concrètement, le christianisme, comme le montre fort bien Pierre Hadot, va avoir pour première et cruciale conséquence de détrôner la philosophie de sa mission première et noble entre toutes : celle qui vise à enseigner pratiquement la sagesse aux hommes et, par là même, à élaborer par la raison une authentique doctrine du salut, un dispositif intellectuel et moral destiné à nous sauver, c'est-à-dire à nous libérer des peurs liées à la finitude. Non seulement c'est désormais la foi et la religion qui s'en chargent, mais gare à la philosophie s'il lui vient l'audace de s'en mêler. C'est alors immédiatement l'excommunication qui s'impose ! C'est ainsi que les thèses de saint Thomas lui-même, jugées trop philosophiques, seront condamnées et mises à l'*Index* par l'Église...

De là une conséquence cruciale entre toutes pour le destin de la philosophie : désormais, il lui faudra délaisser les questions de fond, celles qui touchent au sens de la vie, à la sagesse et au salut, monopole de la religion, pour se borner à une simple analyse discursive des grandes notions – l'être, la vérité, la justice, le beau, etc. C'est en ce point de son histoire, et sous l'effet direct de la victoire du christianisme, que la philosophie va cesser d'être ce qu'elle était avant tout en Grèce : non pas un simple discours théorique, une analyse réflexive de concepts, mais un apprentissage de la vie, une aspiration pratique à la sagesse. Désormais, sa place réservée sera celle d'une scolastique, d'une discipline scolaire, interdite de séjour dans les domaines du sens et du salut.

C'est pourquoi je vous disais tout à l'heure que, selon un paradoxe que nos professeurs de philosophie devraient bien méditer, nos programmes scolaires sont tout à la fois un héritage chrétien et un impératif républicain : à la réduction chrétienne de la philosophie à une analyse scolastique de notions abstraites, ils se contentent d'ajouter l'esprit critique, la réflexion et l'argumentation. Ils associent ainsi toutes les légitimités françaises, du moins celles d'une France fille de l'Église et mère de la République. Cela les rend presque sacrés aux yeux du plus grand nombre, mais, revers de la médaille, ils rendent difficile d'ouvrir les yeux vers la vraie philosophie, comme l'avaient pourtant fait les Grecs. Fort heureusement, ils n'ont rien de contraignant pour nos professeurs qui peuvent en vérité construire leurs cours en toute liberté. Voilà pourquoi nos élèves ont le sentiment, à mon sens légitime, qu'en cette matière, tout dépend du « prof sur lequel on tombe »...

Mais revenons à notre histoire.

Nous avons compris comment et pourquoi le christianisme avait pu l'emporter sur la philosophie grecque, en particulier sur le stoïcisme. La doctrine du salut qu'il élabore, pourvu seulement qu'on y croie, est bien supérieure aux anciennes sagesses du monde. En outre, comme je l'ai aussi suggéré, le christianisme nous apporte, croyants ou non, une nouvelle morale, déjà dans son principe porteuse d'humanisme et de démocratie, ainsi qu'une pensée profonde de l'amour qui n'a aucun équivalent avant lui. La question n'est donc pas tant de saisir les motifs de sa victoire contre la Grèce que de percevoir les raisons pour lesquelles, après environ quinze siècles de domination quasi absolue, il allait lui aussi, sinon s'effondrer – il y a encore aujourd'hui plus d'un milliard de chrétiens dans le monde ! –, du moins vaciller sur ses bases au point de laisser à nouveau une place à la renaissance de la philosophie.

La révolution scientifique, l'effondrement de la cosmologie grecque, le vacillement du christianisme et la résurgence de la philosophie : la naissance de l'humanisme moderne

Permettez-moi, là encore, d'aller à l'essentiel : entre le XVIe et le XVIIIe siècle, l'Europe va connaître une révolution intellectuelle, morale et culturelle sans équivalent, un bouleversement d'une radicalité et d'une profondeur inouïes. Il s'agit bien entendu de cette fameuse révolution scientifique symbolisée par les noms de Copernic, Kepler, Galilée, Descartes, Newton... C'est, tout simplement, la science moderne qui fait son entrée en scène, entrée en scène qui va ruiner totalement, voire anéantir la cosmologie grecque et poser, comme on sait aussi – pensez au fameux procès de Galilée –, un certain nombre de problèmes à l'Église.

Il est bien sûr impossible d'entrer ici dans le détail de cet épisode aux multiples facettes. Disons seulement qu'à la place du *cosmos* clos, harmonieux, éternel et parfait, juste et beau des Anciens, la science moderne nous décrit un monde infini, chaotique, un tissu de forces sans âme, de mouvements et de chocs aveugles, situés dans un espace et un temps radicalement dépourvus de toute limite, de toute signification et de tout repère.

Comme l'a dit un de nos plus grands historiens des sciences, nous passons en deux siècles du « monde clos » des Anciens à l'« univers infini » de la science moderne. C'est là ce qu'expriment ces quelques vers du poète John Donne, qui traduisent parfaitement l'état d'esprit des savants de l'époque (nous sommes en 1611) :

> *« La philosophie nouvelle rend tout incertain…*
> *Tout est en morceaux, toute cohérence a disparu*
> *Plus de rapports justes, rien ne s'accorde plus. »*

Et l'on sait comment le libertin de Pascal sera lui aussi effrayé par le silence éternel de ces nouveaux espaces infinis qu'il ne fait pas bon habiter… Bref, c'est toute la vision cosmique des Grecs qui vole en éclats, et, avec elle, toute possibilité de fonder une morale et une doctrine du salut sur l'imitation d'un ordre naturel au sein duquel l'être humain serait invité à se situer et à se fondre.

Mais, avec la ruine de la cosmologie grecque, c'est aussi l'Église catholique qui se trouve singulièrement ébranlée. D'abord, parce qu'au fil des temps, elle a, notamment sous l'influence de saint Thomas, très largement repris, en les adaptant à ses exigences propres, de nombreux éléments de la physique ancienne. Mais ensuite et surtout, parce que les nouvelles découvertes scientifiques, non seulement conduisent à remettre radicalement en question certaines affirmations bien imprudentes des autorités ecclésiastiques sur l'origine du monde, l'âge de la Terre ou le mouvement des planètes, mais aussi à rejeter quant au principe même la logique des arguments d'autorité : contre l'autoritarisme, l'esprit critique affirme sa légitimité. C'est lui qui doit en permanence animer la recherche scientifique, et ce quand bien même elle devrait heurter les croyances traditionnelles !

Bref, au total, c'est non seulement le principe cosmique qui est détrôné, mais le principe divin lui-même qui cesse de posséder une absolue autorité.

De là l'immense question qui se pose désormais : s'il n'y a plus de *cosmos* à imiter, si le divin lui-même devient douteux, sur quoi refonder une nouvelle théorie, voire une nouvelle morale et une nouvelle doctrine du salut ? Si l'on en croit Donne, tout, en effet, est à refaire, tout est à repenser et à reconstruire puisqu'il nous faut désormais résolument faire table rase du passé.

De là le fait que la philosophie elle-même se fait l'écho de ce formidable moment de flottement et de doute qui s'empare alors des meilleurs esprits. J'évoquais à l'instant le cas de Pascal, mais c'est bien sûr à Descartes qu'il reviendra de donner au principe même du doute toute la dimension philosophique qui lui revient dans la pensée moderne. Descartes, à vrai dire, est incompréhensible si on ne le situe pas dans ce contexte. Comme vous vous en souvenez – c'est là presque un passage obligé dans toutes nos classes de terminale –, Descartes invite son lecteur à suivre son exemple et, par principe, à mettre radicalement en doute la totalité des croyances et des opinions héritées de nos parents, de nos maîtres, de nos traditions en général afin de les tenir en bloc, au sens propre, comme de simples « pré-jugés ». Il faut alors les soumettre au crible de l'esprit critique, pour voir ce qui résiste, et si quelque chose résiste, échappe au scepticisme généralisé, alors peut-être sera-t-il possible de reconstruire l'édifice tout entier de la pensée sur cette nouvelle pierre.

Et cette pierre, vous la connaissez : il s'agit du fameux « Je pense donc je suis », du « *Cogito ergo sum* ». Vous connaissez sans doute aussi le cœur de l'argumentation cartésienne : il se peut bien que tout soit douteux, qu'un malin génie s'amuse à me tromper, que je ne sois pas réveillé, en train d'écrire ou de parler, mais au contraire endormi, tout nu dedans mon lit, au beau milieu d'un songe... Il n'en reste pas moins que, même empli de tous les doutes qu'on voudra imaginer, ce fameux « je » qui doute doit bien exister, ne fût-ce que pour pouvoir douter. Je n'entre pas davantage ici dans l'argumentation cartésienne. Elle est sans doute intéressante en elle-même, et nos meilleurs historiens des idées ont passé parfois une vie entière à la disséquer. Mais ce qui m'importe ici, c'est plutôt sa portée historique. Car ce qu'elle annonce, c'est tout simplement l'avènement de l'humanisme, au sens philosophique du terme[1], le fait que c'est ce fameux sujet,

1. Dans les histoires littéraires, on entend le plus souvent par « humanisme », le mouvement des idées qui coïncide avec la Renaissance parce qu'il marque un retour à ce qu'on appelle les « humanités ». Au sens philosophique, on désigne plutôt par ce terme la naissance de la philosophie moderne, fondée sur l'homme, le sujet, c'est-à-dire justement ce que Descartes inaugure avec son « *Cogito* ».

cet être humain qui, dans la philosophie moderne – et notamment à partir de cet héritage de Descartes qu'est notre grande Déclaration des droits de l'homme –, va prendre la place que le *cosmos* occupait chez les Grecs, voire bientôt celle du divin des anciennes visions du monde désormais en difficulté.

Ce qui pose immédiatement une question évidente, mais terriblement difficile à résoudre : qu'y a-t-il de si extraordinaire en l'être humain qui donne à croire qu'on puisse l'installer à la place de ces réalités grandioses qu'étaient le *cosmos* et la divinité ? Et, en admettant même qu'il y ait en lui quelque chose de spécifique, en quoi ce quelque chose nous permettra-t-il de refonder de part en part, en repartant de zéro, une théorie, une morale et même une doctrine du salut ? Comme vous voyez, la philosophie moderne, parce qu'elle prend la forme d'un humanisme, d'une refondation de tout l'édifice de la pensée sur l'homme, commence par des questions apparemment bien difficiles à résoudre…

Ces interrogations vont conduire notre XVIIe siècle, ce siècle cartésien s'il en fut, à mettre au cœur de ses réflexions philosophiques un débat, en apparence quelque peu naïf et marginal, mais en vérité, vous pouvez maintenant le comprendre, proprement fondamental dans le contexte qu'on vient d'évoquer : le débat qui porte sur la différence entre l'homme et l'animal, sur ce qui constitue le propre de l'humain comme tel, sa différence spécifique d'avec l'être dont il est finalement le plus proche. Et ce débat s'ouvre par une discussion fort houleuse sur les fameux « animaux machines » de Descartes, c'est-à-dire sur l'idée cartésienne selon laquelle les animaux ne seraient que des automates perfectionnés, des sortes de montres ou d'horloges dépourvues d'âme et de sensibilité.

Comme je voudrais vous le montrer maintenant, c'est à Rousseau qu'il reviendra de formuler le critère de différenciation qui deviendra réellement fondateur pour l'humanisme moderne. Et cela, Rousseau le fait dans un petit texte génial, tout à la fois d'une simplicité parfaite et d'une profondeur abyssale, que j'ai souvent commenté dans mes livres et dont je dois, pour la clarté du propos, vous dire encore aujourd'hui quelques mots.

La fondation de l'humanisme : de la différence entre humanité et animalité

Il se trouve dans les premières pages du fameux *Discours sur l'origine et les fondements de l'inégalité parmi les hommes.* Si j'avais, dans toute la philosophie moderne, un texte à emporter, comme on dit, sur l'île déserte, c'est sans doute lui que je choisirais tant il me semble décisif pour comprendre en profondeur sur quel principe nouveau la philosophie – l'humanisme – moderne va se reconstruire en vue de l'emporter à son tour sur la pensée chrétienne.

Car ce texte prétend tout simplement nous expliquer ce qui, dans l'être humain et à la différence de l'animal, va nous permettre de refonder une théorie, une éthique et une doctrine du salut radicalement inédites. En ce sens, il vaut le détour.

Que dit au fond Rousseau sur la différence entre humanité et animalité ?

En première approximation ceci, que je résume librement : l'animal est tout entier guidé par la nature, l'homme, au contraire, possède une part de liberté, c'est-à-dire une part d'excès par rapport à toute logique naturelle, une capacité à s'évader de tous les « programmes », de tous les logiciels dans lesquels certains prétendent l'enfermer. Et c'est par quoi, comme on va voir dans un instant, il pourra posséder une double histoire, individuelle (c'est l'éducation comme histoire de l'individu) et collective (la politique et la culture comme histoire de l'espèce), que l'animal ne connaît pas ou très peu[1], une éthique, et une métaphysique, au sens propre : une capacité à s'interroger, au-delà (*méta*) de la nature (*physis*) sur le sens ou le non-sens de la vie et de la mort (ce pourquoi il sera le seul être à enterrer les siens).

Pour bien comprendre Rousseau, il faut rappeler qu'à son époque, deux autres théories de la différence entre animalité et humanité se partagent le

1. Je reprends ici une idée chère à Alexis Philonenko, une idée qu'il a développée avec le talent qu'on lui connaît dans sa belle introduction aux *Réflexions sur l'éducation* de Kant.

marché des idées. Quand on évoque le sujet, on pense d'abord à la définition d'Aristote selon laquelle l'homme serait un animal rationnel ou, en tout cas, capable de raison. C'est donc cette dernière qui ferait la vraie différence, la différence spécifique, comme dit Aristote, d'avec l'animal. Mais nous savons bien que, sur ce point, l'homme et la bête ne diffèrent en vérité que par le degré, en quantité et pas en qualité : les animaux, eux aussi, sont capables d'intelligence, parfois même davantage que certains humains, et l'éthologie contemporaine nous le confirme chaque jour. On se tourne alors vers Descartes, pour en déduire que la vraie différence ne résiderait pas dans la raison ou dans l'intelligence, mais dans la sensibilité, l'affectivité, dont seuls les humains seraient pourvus – à la différence de ces machines perfectionnées mais sans âme que seraient les animaux. Mais, là encore, nous voyons bien que les animaux, contrairement à ce que disent les cartésiens, éprouvent du plaisir et de la peine : non seulement ils souffrent quand on leur fait du mal, mais ils peuvent être affectueux, sociables, comme en témoigne le fait qu'ils s'attachent à leurs maîtres…

La vérité, pour Rousseau, est donc ailleurs. Si l'humain diffère vraiment de l'animal, ce n'est ni par la raison ni par la sensibilité, mais par sa capacité à s'arracher, à s'émanciper de tout code, de tout « logiciel » naturel. Pour le faire comprendre, Rousseau donne deux arguments.

Le premier, c'est que « la bête ne peut s'écarter de la règle qui lui est prescrite, même quand il lui serait avantageux de le faire, et que l'homme s'en écarte souvent à son préjudice. C'est ainsi qu'un pigeon mourrait de faim près d'un bassin rempli des meilleures viandes et un chat sur des tas de fruits ou de grains quoique l'un ou l'autre pût très bien se nourrir de l'aliment qu'il dédaigne s'il s'était avisé d'en essayer ». Au contraire, l'homme peut commettre des excès jusqu'à en mourir, car en lui, ajoute Rousseau d'une phrase qui fonde toute la politique moderne, « la volonté parle encore quand la nature se tait ». Voyez le sens de l'argument, qui laisse percevoir en creux toute la définition moderne de la liberté : l'animal n'est pas libre en ce sens qu'il est prisonnier d'un instinct naturel. Ce dernier fonctionne, dirions-nous aujourd'hui, comme une espèce de programme, de logiciel dont il ne peut jamais s'évader. À l'inverse, l'homme est si peu programmé par la nature qu'il peut s'en arracher pour le pire (il peut fumer et boire jusqu'à se tuer) comme pour le meilleur (il peut, parfois, faire preuve d'une générosité totalement sans équivalent dans la nature). Là est sa liberté entendue comme une capacité de s'évader de tous les codes, de toutes les catégories qui fonctionneraient comme une prison. Sous la Révolution française, Rabaut Saint-Étienne avait eu ce mot célèbre : « Notre histoire n'est pas notre code », ce qui voulait dire : nous ne sommes pas prisonniers des traditions, de l'Ancien Régime, nous pouvons inventer notre histoire, faire la révolution. L'inspiration de la sentence est rousseauiste, à ceci près que Rousseau, pour être plus complet, aurait pu dire : « Ni la nature ni l'histoire ne sont pour nous des codes », car nous sommes libres. Et cette liberté, Rousseau la désigne sous le nom de « perfectibilité », car c'est elle qui va être pour ainsi dire le nouveau moteur d'une histoire dont nous ne sommes pas prisonniers, mais que nous inventons nous-mêmes librement.

C'est là, justement, ce que précise le second argument que Rousseau formule de la façon suivante : c'est qu'il y a en nous, dit-il, une faculté de se perfectionner qui réside autant dans l'individu (éducation) que dans l'espèce (culture et politique), « au lieu qu'un animal est au bout de quelques mois ce qu'il sera toute sa vie, et son espèce au bout de mille ans ce qu'elle était la première année de ces mille ans ». Rousseau n'a pas tort. Voyez par exemple les petites tortues marines : à peine sorties de l'œuf, elles savent trouver toutes seules la direction de l'océan, elles parviennent sans aide à marcher, nager, manger... tandis que le petit d'homme reste volontiers à la maison jusqu'à l'âge de vingt-cinq ans ! C'est que les animaux n'ont guère d'éducation... Mais, au niveau de l'espèce, le constat est le même. Alors que nos villes – pensez à Paris, Londres ou New York – changent sans cesse, au point qu'en mille ans elles sont tout à fait méconnaissables, les sociétés animales sont rigoureusement immuables : ruches, fourmilières, termitières sont les mêmes, parfaitement identiques à elles-mêmes, depuis des milliers et des milliers d'années...

Conclusion du raisonnement : c'est parce que l'animal est de part en part programmé par la nature qu'il n'a pas besoin d'histoire. C'est parce que le logiciel naturel le guide en permanence qu'il ne se perfectionne jamais, tout parfait qu'il est déjà en son genre, comme ma petite tortue, dès sa sortie de l'œuf. Au contraire, c'est parce qu'il est libre, en excès par rapport à la nature, que l'homme doit pour ainsi dire s'inventer lui-même, s'éduquer et se perfectionner sans cesse, « tout au long de la vie », comme le disent aujourd'hui nos politiques éducatives… L'historicité est, ainsi entendue, non comme un code mais comme un effet de la liberté, le signe même de sa non-appartenance à la nature.

Bien entendu, l'homme est aussi un animal, et tout biologiste pourrait nous dire qu'il a acquis au fil d'une autre histoire, celle de l'évolution, cette capacité à être libre. Il est pour ainsi dire programmé pour cette liberté, et cette historicité qui en découle est comme inscrite dans ses gènes. De même, le biologiste insistera sur le fait que certains animaux, à la différence de la tortue, ont des embryons de culture et d'histoire qui les rapprochent de nous. Tout cela n'est pas douteux. Mais le fait demeure : au total et quelle que soit l'explication qu'on en donne, c'est bien cette liberté, cette extraordinaire capacité d'arrachement à la naturalité en nous comme hors de nous, qui caractérise l'humain comme tel. Et c'est là-dessus que la philosophie moderne va reconstruire et refonder une théorie, une morale et une nouvelle doctrine du salut pour remplacer enfin les cosmologies et les théologies d'antan…

C'est cela que j'aimerais maintenant vous rendre sensible – j'emploie cette formule un peu controuvée pour indiquer que, bien évidemment, je ne vais pas entrer dans le détail de l'histoire de la philosophie moderne, mais vous indiquer néanmoins le principe de cette gigantesque refondation à laquelle l'humanisme naissant va donner lieu.

Reprenons donc nos trois grands axes et plaçons-nous d'abord dans la *première sphère de la philosophie*, donc sur le plan de la *théorie*.

Le « moment kantien » ou la reconstruction de l'édifice théorique de la philosophie

C'est à Kant, dans sa fameuse *Critique de la raison pure* (1781), qu'il va revenir de penser les implications philosophiques de la révolution scientifique comme de tirer les conséquences théoriques de la nouvelle conception de l'homme élaborée par Rousseau. Souvenez-vous de ce que nous avons dit de la cosmologie grecque : fondamentalement, elle reposait sur l'idée que l'univers est un ordre harmonieux, un *cosmos* qui existe de toute éternité, bien avant nous autres, les êtres humains, qui ne sommes d'ailleurs qu'une infime partie de ce monde, au même titre que les plantes ou les animaux. La *theoria* ne consiste donc pas à *inventer* ou à *produire* l'ordre du monde, mais seulement, comme on l'a vu, à le *découvrir*, au sens propre du terme, c'est-à-dire à le *dévoiler*. Car cet ordre existe déjà, pour ainsi dire tout fait et même tout parfait en dehors de nous.

Avec la révolution scientifique, les choses vont quelque peu changer. Non, bien sûr, qu'il n'y ait pas aussi un monde, avec ses lois, hors de nous. Mais ce monde n'est plus *a priori* un ordre. Il se présente même plutôt comme un chaos incompréhensible, comme un tissu d'objets en perpétuel mouvement, comme un univers de chocs et de forces, lui-même inscrit dans un espace et un temps infinis où il est impossible de trouver *a priori* des repères absolus et fixes. Nous sommes loin, très loin, de la maison, belle, harmonieuse et habitable qu'était l'ordre cosmique des Anciens. Et, dans ces conditions, il va falloir, comme on dit si bien, « mettre de l'ordre » dans toute cette réalité qui à première vue n'en offre aucun et, pour cela, apporter en quelque sorte de l'extérieur les instruments de pensée qui vont nous permettre d'expliquer à nouveau l'univers, le terrain de jeu dans lequel notre existence va prendre sa place. En d'autres termes, il va nous falloir, à la différence des Anciens, partir de l'idée que, comme disait Bachelard, « rien n'est donné, tout est construit ». Voici la révolution théorique moderne : loin que la pensée soit une forme de « vision », un exercice de contemplation presque passive d'une harmonie du monde quasi divine – un *« theion orao »* –, elle va devenir pour les Modernes une activité, voire un *travail* ou, pour mieux dire peut-être, une *praxis intellectuelle.*

Tâchons d'illustrer le propos pour mieux faire comprendre ce « changement de paradigme ». Considérons, par exemple, une des règles fondamentales de la recherche scientifique, le fameux principe de causalité selon lequel tout effet possède une cause, tout phénomène doit pouvoir s'expliquer rationnellement, au sens propre : trouver sa raison d'être, son explication. Au lieu de se contenter de découvrir l'ordre du monde par la contemplation, le savant « moderne » va tenter d'introduire, à l'aide d'un tel principe, de la cohérence et du sens dans le chaos des phénomènes naturels. C'est *activement* qu'il va établir des liens « logiques » entre eux, qu'il va considérer, par exemple, certains phénomènes comme des effets, et certains autres comme des causes. C'est en ce sens que la pensée n'est plus un « voir », un « *orao* », mais *un agir, un travail qui consiste à relier les phénomènes naturels entre eux de sorte qu'ils s'enchaînent et s'expliquent les uns par les autres.* Et c'est là très exactement ce qu'on va appeler la « méthode expérimentale » : pratiquement inconnue des Anciens, elle va devenir la méthode fondamentale des sciences naturelles modernes.

Voyez, par exemple, comment Claude Bernard, l'un de nos plus grands médecins et biologistes, qui publie au XIXe siècle un livre devenu célèbre : *Introduction à l'étude de la médecine expérimentale,* raconte une de ses découvertes fondamentales, celle de la fonction glycogénique du foie – c'est-à-dire, pour parler simplement, de la capacité du foie à fabriquer du sucre. Claude Bernard part d'un constat, d'une simple observation : il y a du sucre dans le sang des lapins. Il se pose alors la question de l'origine de ce sucre : vient-il des aliments ingérés ou de l'organisme, et, si oui, par quel organe est-il donc fabriqué ? Il sépare alors ses lapins en plusieurs groupes : certains ont à manger des aliments sucrés, d'autres des aliments non sucrés, d'autres encore sont mis à la diète, etc. Au bout de quelques jours, Claude Bernard analyse le sang de ses lapins pour découvrir qu'il contient, dans tous les cas de figure, quel que soit donc le groupe considéré, autant de sucre. Ce qui signifie, par conséquent, que le glucose ne vient sans doute pas des aliments, mais qu'il est fabriqué par l'organisme.

Passons sur les détails de la façon dont Claude Bernard parvient à découvrir que le sucre est généré par le foie. Ce qui m'importe ici, c'est qu'on voit dans ce simple exemple combien le travail de la *theoria* a changé depuis les Grecs. Il ne s'agit plus de contempler, mais d'agir. La science n'est plus un spectacle, mais une activité qui consiste à *relier* des phénomènes entre eux, à *associer* un effet (le sucre) à une cause (le foie). Et voilà exactement ce que Kant, avant Claude Bernard, a déjà formulé et analysé dans la *Critique de la raison pure*, à savoir l'idée que la science va se définir désormais comme un travail de liaison des événements, d'association des effets et des causes, ou, comme il le dit dans son vocabulaire à lui, de « synthèse » – le mot signifie, en grec, « poser ensemble », « mettre ensemble », donc, si l'on veut : « relier » au sens où l'explication en termes de cause et d'effet relie entre eux des phénomènes, en l'occurrence, dans l'exemple de Claude Bernard, le sucre et le foie.

Voilà pourquoi le grand livre de Kant commence par une question apparemment byzantine, technique, pour ne pas dire à première vue totalement dénuée d'intérêt pour un lecteur « normal » : « Comment des jugements synthétiques *a priori* sont-ils possibles ? » Mais si on la replace dans le contexte d'un effondrement des cosmologies grecques et, avec lui, des théories de la connaissance anciennes, on comprend que le problème que Kant essaie de résoudre est en vérité révolutionnaire : en s'interrogeant sur notre capacité à fabriquer des « synthèses », des « jugements synthétiques », il pose tout simplement le problème de la science moderne, le problème de la méthode expérimentale, c'est-à-dire la question de savoir comment on élabore des lois qui établissent des associations, des *liaisons* cohérentes et éclairantes *entre des phénomènes dont l'ordonnancement n'est plus donné mais doit être introduit par nous de l'extérieur.*

Notons, au passage, une conséquence aussi inattendue que fondamentale de cette révolution dans la pensée. Le monde ancien est un monde naturaliste et hiérarchisé, un monde dans lequel chacun possède un lieu naturel, une place qui lui revient en fonction de sa nature propre. Voilà pourquoi c'est aussi, sur le plan politique, un univers foncièrement aristocratique, un univers dans lequel les meilleurs doivent être en haut et les moins bons en bas – ce pourquoi la démocratie grecque s'accommode parfaitement de l'esclavage. Dans ce contexte, le travail est considéré comme une activité inférieure, comme une tâche servile par excellence. Longtemps encore après l'effondrement de l'Empire romain – sans doute jusqu'à notre Révolution française –, l'aristocrate se définira comme un être qui ne travaille pas. Il pratique des sports, il s'exerce à des jeux, chasse, fait la guerre, mais pour ce qui est du travail, d'autres, des esclaves, des serfs, s'en occupent pour lui.

Avec la révolution scientifique moderne, qui fait justement de la pensée un travail, cette vision des choses change du tout au tout. Non seulement celui qui ne travaille pas, le chômeur, est un homme pauvre car il n'a pas de revenus, mais il est aussi un pauvre homme, car il cesse de développer l'un des traits fondamentaux de l'existence humaine : celui par lequel la liberté nous pousse d'un même mouvement à comprendre et à transformer le monde et, ce faisant, à nous façonner et à nous « cultiver » nous-mêmes dans tous les sens du terme. Du coup, la valorisation du travail s'avère inséparable de la révolution scientifique qui sera aussi, par bien d'autres biais, porteuse de principes démocratiques : car la vérité, c'est aussi ce qui vaut pour tous les êtres humains, en tout temps et en tout lieu, pour les riches comme pour les pauvres, pour les puissants comme pour les faibles…

La morale de Kant : une révolution sur le plan éthique

De là aussi, si nous nous élevons maintenant jusqu'à la *deuxième sphère* de la philosophie, une *révolution éthique* rigoureusement parallèle à celle que nous venons de diagnostiquer dans la théorie.

Une des conséquences de la définition de l'homme – de l'anthropologie – esquissée par Rousseau, c'est que le principe même du monde aristocratique, à savoir l'idée de nature humaine, vole littéralement en éclats. Comme le dira Sartre beaucoup plus tard – Sartre qui reprenait et réinventait pour ainsi dire Rousseau sans le savoir : si l'homme est libre au sens où il est en excès par rapport à toute catégorie, par rapport à tout code ou programme dans lequel on voudrait l'enfermer, alors il n'y a pas de « nature humaine », pas d'« essence de l'homme », de définition de l'humanité, qui précéderait et déterminerait son existence. Dans *L'Existentialisme est un humanisme*, Sartre exprime cette idée d'une formule qui allait devenir célèbre au temps de la mode existentialiste : chez l'homme, dit-il, « l'existence précède l'essence ». En fait, sous des dehors sophistiqués, c'est exactement l'idée de Rousseau, à la virgule près. Les animaux ont une « essence » commune à l'espèce, qui précède leur existence individuelle. Il y a une « essence » du chat ou du pigeon, un programme naturel (l'« instinct ») qui le fait être granivore ou carnivore, et ce programme est si parfaitement commun à tous les membres d'une même espèce que l'existence particulière de chaque individu qui lui appartient en est de part en part déterminée : aucun chat, aucun pigeon ne peut s'évader de cette essence qui le détermine de part en part et supprime ainsi en lui toute espèce de liberté. En quoi tous les pigeons et tous les chats se ressemblent au point d'être presque indiscernables...

Il en va à l'inverse pour l'humain : aucune essence ne le prédétermine entièrement, aucun programme ne parvient jamais à l'enserrer tout à fait, aucune catégorie ne l'emprisonne si absolument qu'il ne puisse, au moins pour une part – celle de la liberté –, s'en émanciper un tant soit peu. Bien entendu, je nais homme ou femme, français ou étranger à la France, dans un milieu riche ou pauvre, élitiste ou populaire, etc. Mais rien ne prouve que ces catégories de départ m'enferment en elles pour toute la vie. Je puis, par exemple, être une femme, comme Simone de Beauvoir, sans être une mère, être un pauvre, d'un milieu défavorisé, et devenir riche, être français, mais apprendre une langue étrangère et changer de nationalité, etc. Le chat, lui, ne peut pas cesser d'être carnivore, ni le pigeon granivore…

De là, à partir de cette idée qu'il n'y a pas de nature humaine, que l'existence de l'homme précède son essence, comme dit encore Sartre, une critique du racisme et du sexisme qui va caractériser au plus haut point l'éthique moderne, c'est-à-dire, si l'on va là encore à l'essentiel, l'éthique des droits de l'homme.

Qu'est-ce que le racisme, et le sexisme, qui n'en est qu'un clone parmi d'autres ? C'est l'idée qu'il existe une essence propre à chaque race, à chaque sexe, et que les individus en sont de part en part prisonniers. Le raciste dit que « l'Africain est joueur », « le Juif intelligent », « l'Arabe habile », etc., et, dès le seul emploi de l'article « l' », on sait qu'on a affaire à un raciste, à un être convaincu que tous les individus d'un même groupe partagent la même « essence ». Même chose pour le sexisme, qui pense volontiers qu'il est dans l'essence de la femme, dans sa « nature », d'être sensible plus qu'intelligente, capable de tendresse plus que d'abstraction, pour ne pas dire « faite pour » avoir des enfants et rester à la maison rivée à ses fourneaux…

C'est très exactement ce type de pensée que Rousseau disqualifie en le ruinant à la racine : puisqu'il n'y a pas de nature humaine, puisque aucun programme naturel ou social ne peut l'enfermer absolument, l'être humain, homme et femme, est libre, indéfiniment perfectible, et nullement programmé par des prétendues déterminations liées à la race ou au sexe. Bien entendu, il est, comme dira encore Sartre dans le droit fil de Rousseau, « en situation » : la biologie et l'histoire ne cessent de nous l'apprendre. Mais, du point de vue philosophique qu'ouvre Rousseau, ces qualités ne sont pas comparables à des logiciels : elles laissent, par-delà les contraintes qu'elles imposent sans doute, une marge de manœuvre, un espace de liberté. Et c'est cette marge, cet écart, qui est le propre de l'homme et que le racisme, en cela « inhumain », veut à tout prix anéantir.

En quoi la morale moderne va bien culminer dans une philosophie des droits de l'homme. Que signifie, en effet, dans son principe le plus profond, notre fameuse Déclaration de 1789 ? Tout simplement ceci : l'être humain a des droits, il mérite d'être respecté *abstraction faite* de toute espèce d'appartenance communautaire. Ce n'est plus comme membre d'un corps plus grand que moi, comme exemplaire d'une communauté religieuse, ethnique, nationale, linguistique, religieuse ou autre que je me définis, que je respecte autrui et exige aussi qu'on me respecte, mais comme individu en général, abstraction faite de toute appartenance. Voilà l'essence de l'humanisme, au sens propre du terme, « abstrait », qui caractérise notre grande déclaration et, là encore, la rupture avec le monde ancien est presque totale.

C'est à nouveau à Kant, dans sa *Critique de la raison pratique*, qu'il va revenir de tirer les conséquences philosophiques de cette nouvelle anthropologie – exactement comme il avait tiré sur le plan de la théorie les conséquences de la révolution newtonienne. D'ailleurs, Kant a dit un jour de Rousseau qu'il était le « Newton du monde moral[1] ». Il voulait notamment signifier par là qu'avec sa pensée de la liberté de l'homme, Rousseau était à l'éthique moderne ce que Newton avait été à la physique nouvelle : un pionnier, un père fondateur sans lequel jamais nous n'aurions pu nous affranchir des principes anciens, ceux du *cosmos* et de la divinité. En identifiant à sa racine, avec une acuité incomparable, le principe de la différenciation entre l'humain et l'animal, Rousseau rendait enfin possible de déceler en l'homme la pierre angulaire sur laquelle une nouvelle vision morale du monde allait pouvoir se reconstruire.

1. Il voulait dire aussi que l'homme est sans cesse tiraillé entre l'égoïsme et l'altruisme, comme le monde de Newton l'est entre les forces centripète et centrifuge.

Voici, en effet, les deux conséquences morales les plus marquantes que Kant va tirer de cette nouvelle définition rousseauiste de l'homme par la liberté : la première touche l'idée que la vertu éthique réside d'abord et avant tout dans le désintéressement ; la seconde qu'une action authentiquement morale doit être orientée, non vers l'intérêt particulier et égoïste, mais vers le bien commun et l'« universel » – c'est-à-dire, pour parler simplement, vers ce qui ne vaut pas seulement pour moi, mais aussi pour tous les autres.

Ce sont là les deux principaux piliers – le désintéressement et l'universalité – qui vont fonder toute la morale moderne – et notamment notre fameuse Déclaration des droits de l'homme où ils sont omniprésents. Aujourd'hui, ils paraîtront sans doute d'une grande banalité tant nous y sommes accoutumés. Aussi n'entreprendrai-je pas ici de les expliciter pour eux-mêmes, mais seulement de vous montrer, ce qui est beaucoup plus intéressant à mes yeux, comment tout à la fois ils rompent avec le monde ancien et s'inscrivent directement dans la perspective ouverte par Rousseau.

Commençons par l'idée de désintéressement.

L'action vraiment morale, c'est d'abord et avant tout l'action désintéressée, *c'est-à-dire celle qui témoigne de ce propre de l'homme qu'est la liberté entendue comme faculté de s'affranchir de la logique des penchants naturels.* Car il faut bien avouer que ces derniers nous portent toujours vers l'égoïsme. La capacité de résister aux tentations auxquelles il nous expose est très exactement ce que Kant nomme la « bonne volonté », en quoi il voit le nouveau principe de toute moralité véritable : alors que ma nature – puisque je suis *aussi* un animal – tend à la satisfaction de mes seuls intérêts personnels, j'ai également, telle est du moins la première hypothèse de la morale moderne, la possibilité de m'en écarter pour agir de façon désintéressée, altruiste (c'est-à-dire tournée vers les autres et non seulement vers moi). Sans l'hypothèse de la liberté entendue comme Rousseau nous la présente, une telle idée n'aurait évidemment aucun sens : il faut bien supposer que nous sommes capables d'échapper au programme de la nature pour admettre que nous puissions parfois mettre notre « cher moi », comme dit Freud, de côté.

Ce qui est peut-être le plus frappant dans cette nouvelle perspective morale, antinaturaliste et antiaristocratique (puisque, contrairement aux talents naturels, cette capacité de liberté est supposée égale en chacun d'entre nous), c'est que la valeur éthique du désintéressement s'impose à nous avec une telle évidence que nous ne prenons même plus la peine d'y réfléchir. Si je découvre, par exemple, qu'une personne, qui se montre bienveillante et généreuse avec moi, le fait dans l'espoir d'obtenir un avantage quelconque qu'elle me dissimule (par exemple mon héritage), il va de soi que la valeur morale attribuée par hypothèse à ses gestes s'évanouit d'un seul coup. Dans le même sens, je n'attribue aucune valeur morale particulière au chauffeur de taxi qui accepte de me prendre en charge parce que je sais qu'il le fait, et c'est normal, par intérêt. En revanche, je ne puis m'empêcher de remercier comme s'il avait agi humainement celui qui, sans intérêt particulier, au moins apparent, a l'amabilité de me prendre en stop un jour de grève.

La seconde déduction éthique fondamentale à partir de la pensée rousseauiste est liée directement à la première : il s'agit de l'accent mis sur l'idéal du bien commun, sur l'« universalité », comme dit Kant, des actions morales, entendue comme le dépassement des seuls intérêts particuliers. Le bien n'est plus lié à mon intérêt privé, à celui de ma famille ou de ma tribu. Bien entendu, il ne les exclut pas, mais il doit aussi, au moins en principe, prendre en compte les intérêts d'autrui, voire de l'humanité tout entière – comme l'exigera d'ailleurs la Déclaration des droits de l'homme.

Là encore, le lien avec l'idée rousseauiste de liberté est clair. La nature, par définition, est particulière : je suis homme ou femme (ce qui est déjà une particularité), j'ai tel corps, avec ses goûts, ses passions, ses désirs qui ne sont pas forcément (c'est une litote) altruistes. Si je suivais toujours ma nature animale, il est probable que le bien commun et l'intérêt général pourraient attendre longtemps avant que je daigne seulement considérer leur éventuelle existence (à moins, bien sûr, qu'ils ne recoupent mes intérêts particuliers, par exemple mon confort moral personnel). Mais si je suis libre, si j'ai la faculté de m'écarter des exigences de ma nature, de lui résister si peu que ce soit, alors, dans cet écart même et parce que je me distancie pour ainsi dire de moi, je puis me rapprocher des autres pour entrer en communication avec eux et, pourquoi pas, prendre en compte leurs propres exigences – ce qui constitue la condition minimale d'une vie commune respectueuse et pacifiée.

Liberté, vertu de l'action désintéressée (« bonne volonté »), souci de l'intérêt général : voici les trois maîtres mots qui définissent les modernes morales du devoir – du « devoir », justement, parce qu'elles nous commandent une résistance, voire un combat contre la naturalité ou l'animalité en nous.

Voilà pourquoi aussi la définition moderne de la moralité va, selon Kant, s'exprimer désormais sous la forme de commandements indiscutables ou, pour employer son vocabulaire, d'*impératifs catégoriques.* Étant donné qu'il ne s'agit plus d'imiter la nature, de la prendre pour modèle, mais presque toujours de la combattre, et notamment de lutter contre l'égoïsme naturel en nous, il est clair que la réalisation du bien, de l'intérêt général ne va pas de soi, qu'elle se heurte au contraire à des résistances. De là son caractère impératif. Si nous étions spontanément bons, naturellement orientés vers le bien, il n'y aurait pas besoin de recourir à des commandements impérieux. Mais, comme chacun de vous l'a sans doute remarqué, ce n'est pas toujours et systématiquement le cas... Pourtant, la plupart du temps, nous n'avons aucune difficulté à savoir ce qu'il faudrait faire pour bien agir, mais nous nous permettons sans cesse des exceptions, tout simplement parce que nous nous préférons aux autres. Voilà pourquoi l'impératif catégorique nous invite à faire, comme on dit aux enfants, des « efforts sur soi-même » et, par là, à essayer sans cesse de progresser et de nous améliorer.

Les deux moments de l'éthique moderne – l'intention désintéressée et l'universalité de la fin choisie – se rejoignent ainsi dans la définition de l'homme comme « perfectibilité ». C'est en elle qu'ils trouvent leur source ultime : car la liberté signifie avant tout la capacité à agir hors la détermination des intérêts « naturels », c'est-à-dire particuliers ; et, en prenant ses distances à l'égard du particulier, c'est vers l'universel, donc vers la prise en compte d'autrui, qu'on s'élève. De là aussi le fait que cette éthique repose tout entière sur l'idée de mérite : nous avons tous du mal à accomplir notre devoir, à suivre les commandements de la moralité, lors même que nous en reconnaissons le bien-fondé. Il y a donc du mérite à bien agir, à préférer l'intérêt général à l'intérêt particulier, le bien commun à l'égoïsme. C'est cette morale qui sous-tendra, au moins jusqu'aux années soixante du siècle dernier, tous les principes fondamentaux de notre école républicaine avec ses bons points et ses bonnets d'âne, ses « peut mieux faire » et ses prix d'excellence… Qu'elle soit aujourd'hui en grande difficulté ne doit nous inciter que davantage à comprendre ce qu'elle fut pour mesurer aussi ce que nous avons perdu et qu'on désigne parfois, sans doute pour se consoler, comme le « prix du progrès »…

Vers une nouvelle doctrine humaniste du salut

Quoi qu'il en soit, c'est désormais sur cette base humaniste qu'il va falloir aussi repenser de fond en comble *la troisième sphère de la philosophie*, celle de *la sagesse comme condition du salut*. Et, comme on le comprend presque intuitivement, l'affaire n'est pas simple, plus difficile encore, si possible, que celle de la théorie ou de l'éthique : car on voit mal à première vue comment on parviendrait à fonder la sagesse et le salut... sur ce petit être humain que nous sommes, comment on pourrait parvenir à cette prouesse dès lors que les grandes entités transcendantes, le *cosmos* et Dieu, se sont effondrées ou estompées...

De ce dernier point de vue, on peut dire que deux attitudes fondamentales vont dominer la « sotériologie moderne », la tentative de fonder sur l'homme une pensée du salut ou du sens de la vie qui justifierait qu'on surmonte ses peurs, ses souffrances, pour affronter plus sereinement la perspective de la mort et, par là même, s'élever jusqu'à une vie plus libre, plus sereine et plus généreuse.

La première, la plus courante et, en un sens, la moins philosophique, consistera à rester tout simplement croyant, le plus souvent chrétien, en humanisant toutefois le christianisme (sur le modèle du déisme de Voltaire ou de ce que Kant nommait la « foi pratique »). Selon un geste à proprement parler libéral, promis à devenir le geste dominant dans le monde moderne s'agissant de la sotériologie (doctrine du salut), la question est ainsi renvoyée à la stricte sphère privée. C'est ce geste qui explique en grande partie le fait qu'aujourd'hui encore, la philosophie contemporaine répugne si souvent à aborder de front ce qui est pourtant sa finalité propre, inscrite jusque dans son nom, à savoir la problématique de la sagesse.

L'autre attitude, qui va s'avérer porteuse des pires malheurs du siècle dernier, consistera à inventer, toujours sur une base humaniste, de nouveaux dogmes religieux ou, comme on dit parfois, des « religions de salut terrestre » : le scientisme, le nationalisme et le communisme en forment l'archétype. Chaque fois, il s'agit de trouver une cause qui justifie la mort, qui lui donne du sens et nous enlève ainsi une part de la peur qu'elle suscite : risquer sa vie, comme chez Jules Verne, pour donner son nom à la découverte d'une terre inconnue, à une invention, un progrès scientifique, afin d'entrer dans la liste des « savants et bâtisseurs » qui ornera les frontispices de nos écoles républicaines... Ou, sur un autre mode, comme le dit, aujourd'hui encore, l'hymne cubain, pourtant censé baigner dans le matérialisme hérité de Marx, « mourir pour la patrie, c'est entrer dans l'éternité » !

Ces deux attitudes ne m'intéressent guère et je vous épargnerai les commentaires que je pourrais faire à leur sujet. J'ajouterai seulement qu'à côté de ces lieux communs de l'humanisme moderne, une troisième perspective commence à se profiler qui prendra tout son essor à la fin du XXe siècle, avec, notamment, les mouvements de décolonisation qui vont conduire l'Europe humaniste à découvrir et respecter enfin les autres cultures au lieu de prétendre leur apporter sur le mode impérial les « Lumières » dont elle serait la seule dépositaire : il s'agit de plaider pour une nouvelle sagesse, une sagesse de la pensée élargie, qui verrait dans la vie humaine une occasion d'élargir l'horizon afin de mieux connaître et de mieux aimer autrui. J'y reviendrai en conclusion de cet exposé. Mais, auparavant, il faut que je vous dise encore quelques mots de la façon dont l'humanisme moderne et, avec lui, toute la philosophie des Lumières vont tomber sous les coups des puissances critiques qu'ils avaient contribué eux-mêmes à déchaîner. Avec Nietzsche, c'est la postmodernité, c'est-à-dire l'après-humanisme, qui fait son entrée en scène ouvrant la voie à l'essentiel du matérialisme contemporain.

Voyons cela d'un peu plus près avant de terminer notre périple.

La postmodernité : Nietzsche, Heidegger et nous...

S'agissant de Nietzsche et de la postmodernité, je serai bref – car au niveau où nous sommes parvenus, l'essentiel est que vous preniez la mesure du moment nietzschéen, que vous compreniez en quoi et pourquoi Nietzsche va ouvrir la période contemporaine, poser les principes les plus fondamentaux de ce qu'on va bientôt nommer la « déconstruction » (*Abbau*, selon le mot de Heidegger) de la métaphysique et de la religion. Si l'on entend par matérialisme une philosophie qui œuvre à montrer que toutes les formes de transcendance, sans exception aucune, sont illusoires, que toutes nos idées, toutes nos valeurs sont des produits inconscients de certaines réalités tout à fait matérielles, alors, à bien des égards, on peut dire que Nietzsche, beaucoup plus encore que Marx, est le véritable père fondateur du matérialisme contemporain. C'est lui qui va mener le plus loin et de la manière la plus radicale qui soit la critique de ce qu'il nomme les « idoles », c'est-à-dire en général de tous les idéaux qui prétendaient animer la philosophie, la religion et la politique depuis des siècles. Nietzsche, c'est le déconstructeur par excellence, celui qui, selon sa propre formule, « philosophe au marteau ».

J'évoquerai essentiellement ici cet aspect « négatif » de son œuvre. Il n'en demeure pas moins que Nietzsche ne s'en est pas tenu à la seule logique de la critique : il a aussi tenté de formuler, en un sens inédit, une nouvelle morale (celle du « grand style »), et même une nouvelle doctrine du salut (centrée sur la notion d'« innocence du devenir » et d'*amor fati*, d'amour du réel présent) dont je vous dirai malgré tout quelques mots pour ne pas caricaturer sa pensée, bien que ce soit sans nul doute pour l'essentiel son message critique que le XXe siècle a retenu.

S'agissant de ce dernier, quatre points fondamentaux me semblent devoir être avant tout soulignés.

Le premier renvoie à la difficile question du « moteur de l'histoire » : après tout, pourquoi faut-il à tout prix dépasser l'humanisme ? Pourquoi lui faire subir à son tour ce qu'il avait lui-même fait subir aux cosmologies et aux religions ? Quelle étrange nécessité se trouve ainsi comme secrètement à l'œuvre dans l'histoire de la philosophie ? Sans prétendre élaborer ici une philosophie de l'histoire, il me semble que Nietzsche lui-même, dans la préface d'un de ses meilleurs livres, *Aurore*, nous donne un élément de réponse essentiel lorsqu'il se situe paradoxalement dans le sillage de l'esprit critique inauguré par Voltaire et les philosophes des Lumières. Ce qu'il veut dire, c'est qu'il en va de la critique comme de certains acides particulièrement corrosifs : une fois répandus, plus rien ne les arrête. L'esprit critique des Lumières s'est tourné contre la religion et la métaphysique pour en dénoncer les illusions. Mais, au lieu de boire le vin jusqu'à la lie, il n'a pas su résister au désir de substituer de nouvelles idoles aux anciennes. À la place du monde intelligible de Platon ou du paradis des chrétiens, au lieu de cet au-delà qu'ils opposent à l'ici-bas, il a mis en scène d'autres idoles : la démocratie, les droits de l'homme, la république, la liberté et, bientôt, le socialisme, l'anarchisme, le communisme, le scientisme, le patriotisme… Ce faisant, il ne s'est pas rendu compte que ces nouvelles figures de l'idéal, pour être en apparence laïques, dédivinisées, n'en conservaient pas moins un élément fondamental de la métaphysique et de la religion : la structure, justement, de l'au-delà opposé à l'ici-bas. Que le paradis réside dans un jardin angélique dont saint Pierre aurait les clefs ou dans une société sans classes et sans exploitation dont le prolétariat serait le vecteur ne change au fond rien à l'affaire : les religions de salut terrestre, pour se prétendre athées, voire matérialistes, n'en restent pas moins aux yeux de Nietzsche des religions. L'esprit critique doit donc se remettre en marche, et continuer à critiquer ce que les Lumières elles-mêmes, par une espèce d'inconséquence, par manque de radicalité, ont laissé subsister des anciennes formes religieuses. En d'autres termes, si « Dieu est mort » – selon l'une des sentences les plus célèbres de Nietzsche –, l'Homme de l'humanisme l'est aussi : ce qui signifie que ce sont toutes les idoles, tous les idéaux en tant qu'ils reconduisent involontairement la structure fondamentale de la religion, celle de l'au-delà opposé à l'ici-bas, que les puissances de l'esprit critique une fois déchaînées doivent attaquer. Et que ces idéaux soient à proprement religieux ou qu'ils soient seulement humanistes ne change rien à l'affaire. Où l'on voit au passage que Nietzsche est à la philosophie ce que les avant-gardes sont à l'histoire de l'art : il est le premier à pousser jusqu'à son terme la logique révolutionnaire de la « table rase », de la déconstruction des traditions, que Descartes et les Lumières avaient mise en œuvre mais laissée pour ainsi dire encore en friche...

De là le second point, littéralement crucial dans l'œuvre de Nietzsche, qui touche à la critique de ce qu'il nomme le « nihilisme ». De quoi s'agit-il ? Exactement de l'inverse de ce que nous entendons par nihilisme aujourd'hui. Dans le langage courant, nous disons de quelqu'un qu'il est « nihiliste » pour signifier qu'il ne croit en rien, qu'il ne défend aucune valeur, qu'il est « cynique », bref, qu'il n'a pas d'idéal. Pour Nietzsche, le nihilisme, c'est rigoureusement le contraire de ce lieu commun : le nihiliste, c'est justement celui qui est bourré de « convictions fortes » et hautement morales. C'est celui qui possède des idéaux, quels qu'ils soient, religieux, métaphysiques ou laïques, humanistes et matérialistes, peu importe. Pourquoi employer ce terme pour désigner un tel homme ? Tout simplement parce qu'aux yeux de Nietzsche les idéaux, tous les idéaux – les « idoles » comme il les appelle – sont non seulement « irréels », mais, en outre, ils reconduisent la structure métaphysico-religieuse de cet au-delà dont on se sert alors pour *annihiler* le réel. C'est dire, si l'on pousse l'analyse un peu plus loin et qu'on s'approche des profondeurs, qu'ils sont inventés par les humains pour donner un sens à la vie, pour se consoler de sa dureté, donc, à bien des égards pour la refuser telle qu'elle est, c'est-à-dire pour la *nier*. Et c'est en quoi l'idéalisme au sens propre (le fait d'avoir des idéaux) est un nihilisme si l'on entend par ce dernier terme toute attitude qui *nie* le réel au nom de l'idéal, toute tentative d'amélioration de ce qui est au nom d'un avenir meilleur, d'un sens caché, d'un projet supérieur. C'est ce nihilisme-là qui est la bête noire de Nietzsche, c'est lui qu'il faut nier à son tour si l'on veut, d'après la logique selon laquelle deux négations valent une affirmation, retrouver enfin le réel, regretter un peu moins, espérer un peu moins pour parvenir à l'aimer enfin tel qu'il est – ce que Nietzsche nomme l'*amor fati*, l'amour du présent tel qu'il nous est donné.

De là le troisième point essentiel à retenir : dans la perspective que je viens d'évoquer et qui s'ouvre sous les coups de marteau de Nietzsche, la théorie se doit de changer du tout au tout. Elle n'est évidemment plus dévoilement d'un ordre cosmique harmonieux, mais pas non plus élaboration de lois scientifiques qui viendraient, comme de l'extérieur, introduire de la rationalité dans le monde. Désormais, son travail fondamental sera celui de la déconstruction ou, plus précisément, pour reprendre le mot de Nietzsche lui-même, de la « généalogie ». Qu'est-ce à dire, là encore ? Qu'il s'agit de faire la généalogie ou l'archéologie des idées et des valeurs, de dévoiler, derrière nos croyances en telle ou telle idole, derrière, par conséquent, notre penchant au nihilisme, les réalités psychiques et pulsionnelles qui commandent, de façon toute matérielle et inconsciente, nos choix les plus profonds. On a souvent comparé Nietzsche et Freud et c'est sur ce terrain, en effet, qu'ils se rejoignent sans doute le plus : la généalogie est bien, déjà, une psychologie des profondeurs, une volonté de mettre au jour les « arrière-mondes » inconscients qui se cachent sous nos choix en faveur de la vérité, du bien, du beau… Là où, cependant, ils divergent, c'est que Nietzsche, plus radical que Freud, ne se prétend pas « savant » ou « scientifique[1] ». Il ne cherche pas la vérité, car la vérité lui semble une idole comme les autres. De là le fait que son relativisme est total, sans limite et sans exception.

Du coup, et c'est mon dernier point, son matérialisme l'est aussi. Comme il le dit dans ce que je tiens pour son meilleur livre, *Le Crépuscule des idoles,* « tout jugement est un symptôme », en quoi il semble freudien avant la lettre… sauf que ce jugement lui-même en est un. Pour parler comme Lacan, il n'y a plus, chez Nietzsche, de « métalangage », c'est-à-dire, en clair, plus de lieu d'où la vérité scientifique pourrait prétendre parler de haut des symptômes qu'elle analyse, car la parole du généalogiste est elle aussi un symptôme, qui n'a pas plus de vérité que celle des autres. Seulement plus de

1. Je reviens plus longuement sur cette différence avec Freud, mais plus encore avec Marx, dans la troisième partie de ce livre.

vie, plus de réalisme si l'on veut, quand elle parvient à s'affranchir enfin des illusions du nihilisme, c'est-à-dire, vous l'avez maintenant compris, des mirages de l'idéal.

Comme je vous l'ai dit, Nietzsche n'en est pas resté au seul stade de la pensée critique, de la déconstruction. Lui aussi a tenté d'élaborer non seulement, comme nous venons de le voir, une nouvelle théorie (la généalogie, justement), mais aussi une nouvelle éthique, celle du « grand style », et une nouvelle forme de sagesse destinée, comme les anciennes, à nous sauver des peurs et des passions tristes qui nous empêchent de vivre dans la sérénité. Il me faut encore vous en dire quelques mots, ne serait-ce que par souci d'honnêteté intellectuelle, pour ne pas caricaturer sa pensée, mais aussi pour vous montrer en quoi Nietzsche entre parfaitement lui aussi dans le cadre de la définition que je donne de la philosophie, en quoi il répond bien, à sa manière, aux trois interrogations fondamentales de la théorie, de l'éthique et du salut.

La morale du « grand style » et la doctrine du salut de Nietzsche

Bien entendu, vous vous en doutez, Nietzsche ne propose pas de refonder de nouvelles « idoles ». Ce serait contradictoire avec tout son projet théorique ! En ce sens, il ne cesse de se présenter comme un « immoraliste », voire comme l'« Antéchrist » – selon le titre même d'un de ses ouvrages les plus célèbres. Il y a donc quelque paradoxe à vouloir trouver chez lui une nouvelle morale et, pire encore, une nouvelle doctrine du salut. Et pourtant... En évitant les pièges du nihilisme, c'est-à-dire en évitant, justement, de retomber dans les illusions de nouvelles transcendances ou, comme il dit lui-même, en se situant « par-delà le bien et le mal », Nietzsche n'en cherche pas moins à distinguer, au sein de la vie elle-même, sans la quitter ni prétendre la surplomber d'un point de vue extérieur à elle, entre des formes de vie maladives, atrophiées, asthéniques et par conséquent, en un sens qu'il faut bien assumer, « mauvaises », et des formes de vie au contraire plus vivantes, plus généreuses, plus affirmatives et joyeuses, bref, « meilleures » que d'autres. Comment de tels dispositifs d'éthique et de sagesse peuvent-ils encore se mettre en place après la déconstruction ? C'est toute la question.

Pour aller à l'essentiel, et vous en donner au moins une idée, voyons un instant comment Nietzsche procède. Pour le comprendre, il faut partir de l'idée qu'à ses yeux, le fond du réel, en nous comme hors de nous, est constitué par un tissu de forces, de pulsions et d'énergies d'une multiplicité infinie et irréductible. C'est là ce qu'il nomme la « Vie ». Or ces forces qui constituent la vie sont de deux ordres.

Il y a d'abord ce que Nietzsche nomme les « forces réactives » dont il ne cesse de dire qu'elles sont avant tout à l'œuvre dans la « volonté de vérité » qui anime la science et la philosophie classique. On pourrait très simplement les définir de la façon suivante : les forces réactives, ce sont les forces qui ne peuvent pas se déployer dans le monde et y produire leurs effets, sans mutiler, annihiler ou nier d'autres forces. En fait, Nietzsche a en tête un modèle : il pense avant tout aux dialogues de Platon et au rôle qu'y occupe Socrate. Comme vous vous en souvenez peut-être, dans ces dialogues, Socrate, qui est presque toujours le personnage principal, invite ses interlocuteurs à choisir un sujet de débat – la justice, la beauté, la vérité, le courage, etc. – et, à partir de ce choix, chacun donne sa définition, avance ses opinions et pose les questions qui lui semblent pertinentes. Alors le dialogue s'engage et Socrate, pour l'essentiel, fait des objections, réfute les opinions fausses, fait apparaître les contradictions dans les discours de ses interlocuteurs. Bref, il ne pose rien lui-même, il n'est que *réactif* en ce sens qu'il se contente de *réagir* aux propos des autres.

Ce qui se cache derrière cette procédure, c'est une certaine idée de la vérité qui va dominer toute la pensée scientifique occidentale pendant des siècles et des siècles : à savoir la conviction selon laquelle la vérité jaillit du choc des opinions contradictoires, ou, pour mieux dire encore, que *la vérité s'obtient d'abord et avant tout par élimination ou réfutation de l'erreur.* Et c'est cela le réactif au sens de Nietzsche. À quoi il faut ajouter que la science où ces forces de la réaction sont toujours en jeu est intrinsèquement liée à un certain idéal politique : celui de la démocratie. En effet, les vérités auxquelles elle prétend parvenir par réfutation et élimination des forces de l'illusion, du mensonge, de la mauvaise foi (qui sont, cela dit en passant, essentielles à l'art), sont des vérités qui prétendent valoir pour tous les hommes, en tout temps et en tout lieu, pour les riches comme pour les pauvres, pour les puissants comme pour les faibles. En quoi, Nietzsche a raison, il y a bien un lien profond entre science et démocratie.

À l'inverse, les forces actives vont relever du domaine de l'art, et non plus de la science, et du registre de l'aristocratie plutôt que de la démocratie. En effet, les forces actives sont celles qui, au contraire de la volonté de vérité que Nietzsche stigmatise, peuvent se déployer dans le monde et y produire tous leurs effets sans nier d'autres forces. Le modèle auquel Nietzsche pense n'est plus ici celui du philosophe ou du savant, celui de l'homme théorique comme il dit, mais de l'artiste : en effet, à la différence du savant ou du philosophe, ce dernier pose des valeurs *sans discuter*. Il avance sans avoir besoin de démontrer ni de réfuter quoi que ce soit. Il n'est pas un dialecticien mais un créateur, quelqu'un qui pose des valeurs hors de toute réaction, sans être contraint d'argumenter ni de détruire. La preuve ? Nous pouvons aimer l'art ancien et le moderne sans contradiction aucune, alors que nous devons bien choisir entre Galilée et Ptolémée et, affirmant la vérité de l'un, nous écartons et rejetons inévitablement dans le néant les erreurs de l'autre. En quoi, aussi, l'artiste n'est pas un démocrate mais un aristocrate, un être qui commande avec autorité. Or, comme le dit Nietzsche dans *Le Crépuscule des idoles* d'une phrase qui résume presque toute sa pensée : « Ce qui a besoin d'être démontré ne vaut pas grand-chose... »

Pendant longtemps, et notamment dans la période de la contestation soixante-huitarde, certains commentateurs qui voulaient enrôler Nietzsche sous leur bannière ont présenté de lui une caricature absurde : selon eux, le message de l'immoraliste, sur le plan éthique, aurait consisté à prôner l'élimination des forces réactives au profit des forces actives ! Et, à partir de cette lecture aussi hâtive qu'erronée, on nous a fabriqué un Nietzsche « de gauche », anarchiste libertaire, invitant les jeunes gens à la libération des corps, de la sexualité ainsi qu'à la contestation des « valeurs bourgeoises ». La pensée de Nietzsche est aux antipodes de ce gauchisme culturel qu'il aurait à coup sûr abhorré et ce pour une raison tout à fait limpide : éliminer les forces réactives, les forces en jeu dans la logique, dans la recherche rationnelle de la vérité, ce serait à l'évidence céder soi-même à la réaction la plus manifeste *puisqu'on annihilerait explicitement une partie de la réalité vitale qui nous constitue.*

Le projet de Nietzsche est donc tout autre. Ce qu'il vise, ce n'est nullement l'éradication du réactif au profit de l'actif, mais au contraire la réconciliation aussi harmonieuse que possible des deux. La maîtrise suprême consiste à être capable de hiérarchiser en soi les forces qui, sans cela, se déchireraient en un perpétuel conflit. Il le dit d'ailleurs de manière tout à fait explicite, par exemple dans ce passage d'*Humain, trop humain* où, sans doute, il pense à lui-même : « Supposé qu'un homme vive autant dans l'amour des arts plastiques ou de la musique qu'il est entraîné par l'esprit de la science et qu'il considère qu'il est impossible de faire disparaître cette contradiction par la suppression de l'un ou l'affranchissement complet de l'autre, alors il ne lui reste plus qu'à faire de lui-même un édifice de culture si vaste qu'il soit possible à ces deux puissances d'y habiter, quoique à des extrémités éloignées, tandis qu'entre elles deux, les puissances conciliatrices auront leur domicile, pourvues d'une force prééminente, pour aplanir en cas de difficulté la lutte qui s'élèverait… »

Comme chez les maîtres du zen ou du kung-fu – mais tout autant comme dans l'enseignement qui sera bientôt celui de la psychanalyse –, le sage authentique est celui qui parvient à mettre fin aux conflits intérieurs qui nous épuisent et nous affaiblissent, pour, hiérarchisant en soi les forces, parvenir à la sérénité. Voilà ce que Nietzsche nomme le « grand style » et qui constitue, si l'on peut oser ce paradoxe, la morale de l'immoraliste. Si l'on veut se faire une image concrète de ce « grand style », le plus simple est de penser à ce que nous devons vivre, lorsque nous nous exerçons à un sport ou un art difficiles – et ils le sont tous –, pour parvenir à un geste parfait.

Pensons, par exemple, au mouvement de l'archet sur les cordes d'un violon, des doigts sur le manche d'une guitare ou, plus simplement encore, à un revers ou un service au tennis. Lorsqu'on en observe la trajectoire chez un champion, il paraît d'une simplicité, d'une facilité littéralement déconcertantes. Sans le moindre effort apparent, dans la fluidité la plus limpide, il envoie la balle à une vitesse confondante : c'est qu'en lui, tout simplement, *les forces en jeu dans le mouvement sont parfaitement intégrées. Toutes coopèrent dans l'harmonie la plus parfaite, sans contrariété aucune, sans déperdition d'énergie, donc sans « réaction » au sens que Nietzsche donne à ce terme.* Conséquence : une réconciliation admirable de la beauté et de la puissance que l'on observe déjà chez les plus jeunes, pourvu qu'ils soient doués de quelques talents.

À l'inverse, celui qui a commencé trop tard aura, l'âge venu, un geste irréversiblement chaotique, désintégré ou, comme on dit si bien, « coincé ». Paralysé par une infinité de petites peurs inconscientes, il retient ses coups, hésite à les lâcher... et ne cesse de s'en vouloir, au point de s'insulter chaque fois qu'il rate. Sans cesse déchiré, c'est davantage contre lui-même que contre son adversaire qu'il se bat. Non seulement l'élégance n'y est plus, mais la puissance manque et ce pour une raison bien simple : les forces en jeu, au lieu de coopérer, se contrecarrent entre elles, se mutilent et se bloquent, de sorte qu'à l'inélégance du geste répond son impuissance. Voilà ce que Nietzsche propose de dépasser. En quoi il ne suggère pas d'élaborer un nouvel « idéal », une idole de plus. Au contraire, le modèle qu'il esquisse est, à la différence de tous les idéaux connus jusqu'à ce jour, rivé à la vie, arrimé au réel. Il ne prétend nullement être « transcendant », situé au-dessus d'elle dans une quelconque position d'extériorité et de supériorité. Il s'agit plutôt de se représenter ce que serait une vie qui prendrait pour modèle le « geste libre », le geste du champion ou de l'artiste qui compose en lui la plus grande diversité pour parvenir dans l'harmonie à la plus grande puissance, sans effort laborieux, sans déperdition de force vitale. Telle est, au fond, la « vision morale » de Nietzsche, celle au nom de laquelle il dénonce toutes les morales « réactives », toutes celles qui, depuis Socrate, inventent des idoles pour mieux prôner la lutte contre la vie, son amoindrissement.

Mais c'est aussi, par-delà, justement, le bien et le mal, le fondement d'une nouvelle pensée du salut, entendu au sens propre du terme, comme ce qui nous sauve des peurs, qui s'esquisse ici. Car dans cette perspective, la sagesse se confond à nouveau, comme chez les Grecs, avec une forme achevée de sérénité, avec l'attitude qui consiste non seulement à se réconcilier avec soi-même, mais aussi avec le monde. C'est là ce que Nietzsche nomme l'*amor fati*, l'amour de ce qui est, ou encore, l'« innocence du devenir » qui s'obtient, comme chez les Anciens, lorsque nous parvenons à nous émanciper du poids des passions tristes liées au passé, des nostalgies et des culpabilités, comme de la tyrannie du futur et des mirages de l'espérance...

La généalogie nietzschéenne, comme vous le pressentez sans doute, pose mille questions, suscite mille critiques et interrogations. Je n'ai bien sûr pas le temps de les évoquer ici. Mon propos était que vous perceviez en quoi Nietzsche ouvre bel et bien l'espace de la « postmodernité », de l'avant-gardisme philosophique ou, si vous voulez, c'est tout un, de l'après-humanisme. Et c'est cette ouverture qui lui vaut sans aucun doute la place qu'il occupe dans l'histoire de la philosophie. De fait, on ne peut pas penser après lui comme avant. Pourtant, on ne peut pas non plus en rester là et poursuivre indéfiniment, comme la « Pensée 68 » a voulu nous inviter à le faire, le travail de la généalogie ou de la déconstruction. Il faut aller plus loin, et c'est cela que j'aimerais vous faire comprendre pour conclure cette conférence, en explicitant davantage que je ne l'ai fait jusqu'alors, le point de vue qui est le mien, celui à partir duquel je vous invite à vous approprier cette grandiose histoire des idées.

Plaidoyer pour un humanisme postnietzschéen : l'humanisme de l'homme-dieu

Voici les deux vérités qui forment à mes yeux l'espace de la pensée contemporaine : il est vrai qu'on ne peut pas penser après Nietzsche comme avant lui ; de la même façon qu'avec Schönberg, Picasso ou Kandinsky dans l'ordre de l'art, quelque chose a eu lieu dans la philosophie avec lui qui rend tout retour en arrière impossible ou suspect. Mais il est tout aussi vrai qu'on ne peut pas non plus en rester à l'art de la généalogie et de la déconstruction. Pas seulement parce que la critique du nihilisme reste insatisfaisante sur le plan éthique et politique : la destruction au marteau des idéaux, y compris les plus laïques, des droits de l'homme à l'idée républicaine, semble inévitablement conduire au cynisme et, par contrecoup, à une nouvelle forme de sacralisation de ce qui est. En l'occurrence et par les temps qui courent, à une reddition sans borne ni cran d'arrêt au règne de cette nouvelle figure de la volonté de puissance qu'est la mondialisation technicienne... Mais, après tout, ce n'est pas une objection suffisante : ce n'est pas parce qu'une idée ne nous plaît pas ou parce qu'elle possède des conséquences éthiques dérangeantes qu'elle est fausse. Si la déconstruction nietzschéenne des idoles était à mes yeux convaincante, il me faudrait bien l'accepter, que les conséquences en soient agréables ou non. C'est affaire de vérité, non de désir. Simplement, par-delà la question des implications cyniques, je la trouve tout bonnement incapable de rendre véritablement compte de la réalité de notre vie et de notre pensée. Une philosophie qui ne parvient jamais à expliquer la conscience commune ne peut pas être juste, et l'hypervalorisation du décalage entre le sens commun et le point de vue philosophique, véritable poncif de tous les avant-gardismes, ne me convainc pas.

Car la vérité, c'est que nous continuons, nietzschéens ou pas, à percevoir certaines figures de la transcendance comme incontournables et nullement comme illusoires. Et plutôt que de nier notre conscience intime au nom d'une théorie située en surplomb, il nous faut peut-être essayer enfin de la penser. Ma conviction, c'est qu'il existe bel et bien des formes de transcendance « postnietzschéennes », des figures de l'idéal qui échappent à la déconstruction au marteau. Et c'est cette échappée ou cette résistance qu'il faut tenter de comprendre plutôt que de la nier *a priori* de façon dogmatique, au nom du mirage avant-gardiste de la déconstruction à tout prix.

Voilà pourquoi la philosophie contemporaine peut suivre deux voies fondamentalement divergentes.

Elle peut d'abord, comme l'a fait en France et aux États-Unis la « Pensée 68 », poursuivre quasi indéfiniment le travail de la déconstruction. On peut même le faire en enrichissant à l'infini l'arsenal des outils élaborés par Nietzsche et les autres philosophes du soupçon. À son marteau philosophique, on peut ajouter les armes de la sociologie, de la psychanalyse et, d'une manière générale, de toutes les sciences sociales, mais aussi de la biologie qui peut, elle aussi, servir à montrer d'où viennent nos illusions de transcendance et comment nos idées et nos valeurs sont produites par l'infrastructure génétique propre à notre espèce. Le matérialisme contemporain possède ainsi un bel avenir devant lui.

On peut aussi, considérant que le travail de la déconstruction tourne à la répétition vide parce qu'il est déjà achevé en son principe, estimer qu'en s'épuisant lui-même, il n'épuise pas le sujet, qu'il ne dit pas tout de la condition humaine et que cette dernière continue, malgré les efforts et les effets du matérialisme, à se caractériser par un étrange mélange de sentiment de finitude radicale et de rapport à la transcendance.

Permettez-moi, ici encore, de dire les choses de façon simple : que je le veuille ou non, certaines vérités continuent à s'imposer à moi comme nullement relatives à l'état de mes pulsions, de ma libido, de ma condition sociale ou de mon infrastructure neurale. Que 2 + 2 fassent 4, j'en suis désolé, mais je n'y puis rien. Cela me dépasse et n'est pas affaire d'humeur. J'ai beau m'efforcer de faire le lien, j'avoue ne pas voir en quoi le sentiment de nécessité que j'éprouve à la lecture de cette équation pourtant toute simple me viendrait de quelque inconscient que ce soit. Dans le même sens, l'obligation de respect que j'éprouve envers autrui s'impose à moi, avant tout calcul, sans que je puisse réellement la rapporter à tel ou tel mode de production caché. Et quand j'écoute une suite de Bach, je suis saisi par une beauté que je n'ai pas produite moi-même et dont j'ai peine à imaginer, là encore, en quoi les laborieux efforts de la sociologie ou de la biologie pourraient réellement la réduire. La vérité, la justice, la beauté me « tombent » dessus comme si elles me venaient de l'extérieur au sens où l'on dit, pour évoquer la dernière valeur, la plus haute entre toutes, que l'on « tombe » amoureux plutôt qu'on ne décide de l'être.

Bien entendu, on peut toujours chercher à expliquer la transcendance, s'appliquer de toutes ses forces à établir un rapport avec certains états de la matière en nous ou hors de nous. Le fait est que la conscience commune reprend sans cesse ses droits. Tous les spinozistes et nietzschéens que je connais, et avec eux tous les matérialistes que j'ai rencontrés, ne cessent de porter des jugements moraux sur tout le monde et son voisin comme si le libre arbitre et la transcendance des valeurs que leur philosophie prétend nier à la racine continuaient sans relâche d'animer leur vie quotidienne. Ils semblent vivre ainsi dans un permanent décalage avec eux-mêmes, comme si leur conscience philosophique et leur conscience commune étaient à jamais irréconciliables. Et, pour tout vous dire, plutôt que de me nier au nom d'une science prétendument supérieure et de vivre ainsi dans une perpétuelle contradiction entre ce que je dois penser selon la théorie et ce que je pense en réalité dans la vie de tous les jours, je préfère me faire, par hypothèse et ne fût-ce qu'un instant, confiance, chercher à comprendre l'expérience que je vis et dans laquelle la transcendance de certaines valeurs ne me semble pas illusoire. Bien entendu, il ne s'agit pas d'en rester à ce simple sentiment, mais de partir de lui sans le renier *a priori* en vue de rechercher si une approche phénoménologique pourrait en rendre raison. Dans cette perspective, ma conviction est qu'il n'est nullement impossible d'envisager un concept de transcendance post-nietzschéen, hors de tout « retour à » ou de toute visée réactionnaire.

C'est là, depuis longtemps, ce que j'appelle l'humanisme « non métaphysique » ou l'humanisme de l'homme-dieu.

Il me faut, en guise de conclusion, vous en dire quelques mots, ne fût-ce que pour que vous sachiez, comme on dit, « d'où je parle », d'où cette brève histoire des doctrines du salut sans Dieu vous est racontée, afin que vous puissiez ainsi mieux vous situer vous-mêmes par rapport à ce récit. Je n'entreprendrai pas ici de présenter cet humanisme postnietzschéen selon les trois axes – théorie, éthique, doctrine du salut – qui structurent pourtant à mes yeux toute philosophie. C'est là un travail en cours, qu'il me reste encore à achever. Je l'exposerai dans un prochain livre. Mais je vous indiquerai néanmoins en quoi cette position philosophique s'appuie sur quatre convictions qui sont comme les fondations de cet édifice à venir, comme les fils conducteurs à partir desquels il est possible d'envisager une réponse aux trois interrogations fondamentales que je viens d'évoquer.

Les voici, succinctement résumées :

I – UNE FONDATION ULTIME DES VALEURS, QU'ELLE SOIT MATÉRIALISTE OU RELIGIEUSE, N'EST NI POSSIBLE NI MÊME PENSABLE.

Pour le coup, les penseurs de la déconstruction devraient être les premiers à le reconnaître : l'idée d'un fondement ultime des valeurs n'a aucun sens hors des cadres de la métaphysique classique. De ce point de vue, la théologie traditionnelle et le matérialisme dogmatique commettent paradoxalement le même péché. Ils sont pour ainsi dire comme les deux faces d'une même médaille : tous deux prétendent parvenir à identifier un fondement ultime, divin ou matériel, peu importe ici, des idées et des valeurs, qui permettrait d'enraciner l'expérience de la transcendance dans une explication enfin complète. Premier pilier d'un humanisme postnietzschéen : comme la déconstruction kantienne de la métaphysique nous invitait déjà à le faire, il faut renoncer, parce qu'elle est à la fois inconcevable et incompréhensible, à l'idée de fondement ultime, que ce soit pour justifier la transcendance (dans la religion) ou pour la nier en l'expliquant comme une illusion de la conscience commune (dans le déterminisme matérialiste). En d'autres termes, il faut prendre au sérieux l'idée qu'il n'y a pas de science achevée, pas de savoir absolu et que, dans ces conditions, aucune explication ne peut jamais se clore sur la découverte d'une prétendue origine ultime de nos idées et de nos valeurs.

Bien entendu, ces affirmations ne sont pas gratuites et même si je n'entreprends pas ici de les argumenter jusqu'au bout, elles reposent sur une profonde critique de la métaphysique que Kant a inaugurée, mais que Husserl et Heidegger ont poursuivie jusqu'à nous. Au demeurant, dans l'ordre des sciences positives elles-mêmes, on a déjà sous diverses formes (notamment avec le fameux théorème de Gödel) pris conscience qu'aucune démonstration ne pouvait jamais prétendre à l'absoluité, mais que tout raisonnement était par définition relatif à des principes eux-mêmes, en dernière instance, indémontrables.

Voilà aussi pourquoi notre expérience de la transcendance de valeurs qui nous apparaissent toujours comme extérieures et supérieures à nous, bien que non imposées du dehors, ne saurait être niée au profit d'une prétendue explication matérialiste, pas davantage d'ailleurs que fondée en raison sur la foi en une divinité qui en serait l'origine. Il nous faut mobiliser, pour comprendre cette figure de la transcendance – ni réductible à un quelconque fondement ni cependant imposée –, un concept nouveau qui, à la différence des anciennes notions, résiste à la généalogie nietzschéenne.

II – Il faut distinguer trois grandes conceptions de la transcendance dont la dernière est clairement postnietzschéenne et, comme telle, insensible aux coups de marteau.

La première est celle que mobilisaient les Anciens pour répondre à la question du salut en termes de cosmologie. Comme nous l'avons vu, l'ordre harmonieux du *cosmos* est transcendant par rapport aux êtres humains, parce qu'ils ne l'ont ni créé ni inventé mais qu'ils le découvrent comme une donnée extérieure et supérieure à eux. Il n'en reste pas moins, en un autre sens, immanent au réel, parce que de part en part incarné dans le monde.

C'est ensuite la transcendance du Dieu des grands monothéismes que nous avons rencontrée, une transcendance qui ne se situe pas seulement par rapport à l'humanité, comme celle des Grecs, mais aussi par rapport au monde lui-même conçu tout entier comme une créature dont l'existence dépend d'un Être situé hors de lui. Là encore, je n'insiste pas.

Mais une troisième forme de transcendance, différente des deux premières, peut encore être pensée à partir de la philosophie transcendantale (à laquelle s'ajoute naturellement la phénoménologie de Husserl et de ses héritiers qui, sur ce point, n'en est à bien des égards que le prolongement direct) : il s'agit d'une « transcendance » présente au cœur de l'expérience vécue, et en ce sens, pour parler comme Husserl, d'une « transcendance dans l'immanence ». Comment comprendre cette formule, certes un peu jargonnante, mais néanmoins tout à fait sensée ? Notons d'abord qu'à la différence de la transcendance théologique, cette transcendance phénoménologique ne renvoie pas à l'idée d'un fondement ultime, situé hors du monde, mais plutôt, pour reprendre le vocabulaire de Husserl, à l'idée d'horizon ou, si vous préférez, au fait que toute présence nous est donnée sur fond d'une absence, tout visible sur fond d'un invisible.

Une métaphore permet d'en donner simplement une idée : pensez à un cube, dont on ne perçoit jamais toutes les faces en même temps. Quoi que vous fassiez, vous ne saisirez d'un seul regard jamais plus que trois des six faces qui forment la totalité de ce volume. Si l'on développe la métaphore, elle signifie que la réalité du monde ne m'est jamais donnée dans la transparence et la maîtrise parfaites ou, pour le dire autrement : si l'on s'en tient au point de vue de la finitude humaine, si l'on refuse le saut mystique auquel matérialisme et théologie nous invitent chacun à leur façon dans leur volonté de trouver un fondement ultime des idées et des valeurs, il faut admettre que la connaissance humaine ne saurait jamais accéder à l'omniscience, qu'elle ne peut jamais coïncider avec le point de vue de Dieu ou de la nature, ni par une « intuition intellectuelle » ni par une quelconque « connaissance du troisième genre ».

C'est aussi par ce refus de la clôture, par ce rejet de toutes les formes de « Savoir Absolu », que cette transcendance d'un troisième type apparaît bien comme une « transcendance dans l'immanence » qui, en tant que telle, ne relève plus en rien de la déconstruction nietzschéenne des « idoles ». Seul ce concept de transcendance confère en effet une signification rigoureuse à l'expérience humaine que tente de décrire et de prendre en compte l'humanisme de l'homme-dieu : c'est bien « en moi », dans ma pensée ou dans ma sensibilité, que se dévoilent les valeurs, hors de toute référence à un argument d'autorité ou à une hétéronomie dont l'origine coïnciderait avec un fondement réel (Dieu ou la nature). Et cependant, je n'invente ni les vérités mathématiques, ni la beauté d'une œuvre, ni les impératifs éthiques, et quand on tombe amoureux, ainsi que je le suggérais à l'instant, ce n'est jamais par l'effet d'un choix délibéré. L'altérité ou la transcendance des valeurs est bien réelle. Nous pouvons en faire une phénoménologie, une description qui part du sentiment, en tant que tel incontestable, d'une nécessité ou, pour mieux dire peut-être, de la conscience d'une impossibilité à penser ou à sentir autrement : je n'y puis rien, 2 + 2 font bien 4 et cela n'est pas affaire de pulsions ni de choix subjectif. Mais, pour autant, cette vérité, si simple soit-elle, échappe à toute fondation ultime. Je puis sans doute la déduire de certains axiomes initiaux, en l'occurrence ceux de l'arithmétique classique, mais au-delà de ces axiomes, qui par définition sont et restent des propositions non démontrées, aucun fondement réel ne m'est jamais dévoilé. C'est cette ouverture que l'humanisme non métaphysique, l'humanisme post-nietzschéen, veut assumer, nullement par impuissance, mais au contraire parce qu'il lui faut par principe et par lucidité accepter, sous peine de retomber dans les illusions de la métaphysique classique, de renoncer à chercher dans les gènes ou dans la divinité, dans la nature ou dans l'Être suprême l'explication dernière de notre rapport à des valeurs communes ou universelles...

Nous tenons là, il me semble, et même si je ne vous l'indique que de façon volontairement brève et « intuitive », un concept radicalement neuf de la transcendance, une conception qui ne rentre en rien sous les catégories nietzschéennes du nihilisme et de ses fameuses idoles qu'il faudrait casser au marteau. Cela dit, c'est encore un concept vide et, à ce niveau d'abstraction, la question ne peut plus être éludée : quel contenu lui donner ? Pour y répondre, il faut prendre en compte deux processus parallèles, à mes yeux fondateurs de cet humanisme postnietzschéen que j'appelle de mes vœux : d'un côté, l'humanisation du divin et, de l'autre, la divinisation de l'humain. Voyons brièvement de quoi il s'agit.

III – De l'humanisation du divin à la divinisation de l'humain.

Commençons par l'« humanisation du divin ».

À première vue, elle ne pose guère de problème de compréhension. Il s'agit seulement, par cette expression plus imagée que d'autres, de désigner un processus ayant déjà fait l'objet, sous des dénominations diverses – « sécularisation », « laïcisation », « désenchantement du monde », voire « déchristianisation » –, d'une abondante littérature. Plus profondément peut-être, et c'est pourquoi j'ai choisi cette formulation, il s'agit de suggérer que la plupart de nos valeurs démocratiques, contrairement à l'image qu'a voulu en donner l'idéologie révolutionnaire, ne sont le plus souvent qu'un héritage « humanisé » ou, si l'on veut, « dédivinisé », du christianisme et du judaïsme : je ne vois, par exemple, rien de très nouveau dans nos déclarations des droits de l'homme au regard d'une éthique chrétienne bien entendue. Ce qui est neuf, en revanche, c'est le statut de ces valeurs qui apparaissent désormais, non plus comme données par un Dieu, mais justement comme « humanisées », « fabriquées » par et pour les êtres humains. Voilà un exemple simple de ce que l'on peut entendre par l'expression « humanisation du divin ». On y perçoit assez bien comment cette humanisation implique une érosion considérable des anciennes transcendances : les sociétés laïques sont progressivement « sorties » de la religion de sorte que, dans l'espace public, même ceux qui sont croyants à titre privé doivent en quelque façon se situer dans un « après » des grands monothéismes. C'est dire que la croyance est devenue une affaire personnelle et, dans la sphère publique, nous nous sommes, du moins en Europe, radicalement émancipés des diverses figures du « théologico-politique ».

Chacun peut le constater : alors que, dans les civilisations du passé, la loi tirait sa légitimité de son enracinement dans un univers extérieur aux Hommes, ou prétendu tel (celui de la cosmologie ou de la théologie), la loi démocratique se veut de part en part faite par eux et pour eux. C'est là non seulement la signification la plus profonde de notre grande Déclaration, mais aussi, sur le plan institutionnel, de la création des Parlements : au lieu que, comme c'est encore le cas dans les républiques islamiques, la légitimité des autorités soit dérivée d'une source religieuse (les hommes peuvent épouser quatre femmes parce que cela est inscrit dans le Coran), la loi démocratique, laïque, se veut *construite* à partir de la volonté, des intérêts et de la raison des êtres humains. Ces derniers sont pour ainsi dire les *génies* de la loi. Il en va de même dans les sphères de l'éthique de la culture. Dans cette dernière, par exemple, il est clair qu'au lieu de refléter un ordre extérieur aux hommes (cosmique ou religieux), l'œuvre d'art va devenir, dans les sociétés modernes, l'expression de la personnalité d'un individu, certes hors du commun, « génial », *mais néanmoins humain.* Un humanisme culturel est né, parallèle à celui qu'instituaient l'éthique et la politique.

Pour la plupart d'entre nous, et bien sûr pour tous ceux qui ne sont pas croyants, la conception de la transcendance sur laquelle s'appuyaient les grandes religions a été érodée par le puissant processus d'« humanisation du divin » inhérent à la logique même des sociétés démocratiques. D'où la question, à mes yeux décisive : n'avons-nous désormais que le choix entre, d'un côté, les transcendances de jadis, qui comportent nécessairement un moment d'« autorité », et, de l'autre, l'immanence absolue, la platitude radicale de l'univers démocratique, laïque et désenchanté ? C'est parce que je ne le crois pas que j'ai voulu mettre l'accent sur un second processus, plus secret bien sûr et moins évident que le premier, par lequel nous assistons à la réapparition de nouvelles formes de transcendance sous les espèces d'une « divinisation de l'humain ».

De quoi s'agit-il ?

Tout simplement de la conviction argumentée selon laquelle notre rapport à la transcendance n'a pas seulement changé dans la forme – en passant des concepts anciens au concept phénoménologique de transcendance –, mais aussi quant au contenu. C'est là ce que nous apprendrait, si l'on entrait un tant soit peu dans le détail, une histoire du sacrifice – je veux dire : une histoire des motifs pour lesquels les êtres humains ont accepté de risquer, voire de donner leur vie pour ce qui leur paraissait sacré : à l'encontre de ce qu'auraient dû être les conséquences logiques d'un univers enfin réellement désenchanté par la déconstruction, nous continuons, matérialistes ou non, d'estimer que certaines valeurs pourraient, le cas échéant, nous amener à prendre le risque de la mort. Le fameux slogan des pacifistes allemands : « *Lieber rot als tot*[1] », n'a pas, finalement, convaincu tous nos contemporains et, d'évidence, nombre d'entre eux, pas forcément « croyants » pour autant, pensent encore que la préservation de sa propre vie n'est pas nécessairement la valeur suprême entre toutes. J'ai même la conviction que, s'il le fallait, nos concitoyens seraient encore capables de prendre les armes pour défendre leurs proches, voire pour entrer en résistance contre l'oppression ou qu'à tout le moins, une telle attitude, lors même qu'ils n'auraient pas le courage de la mener à son terme, ne leur paraîtrait ni indigne ni absurde.

Or, et sur ce point Nietzsche a en un sens raison, le sacrifice, qui par là renvoie au sacré, possède toujours, même chez un matérialiste convaincu, une dimension religieuse : il implique en effet que l'on admette, fût-ce de manière subreptice, qu'il existe des valeurs transcendantes, puisque supérieures à la vie matérielle ou bio-

1. « Mieux vaut rouge que mort. »

logique. Simplement, les entités sacrificielles de jadis ont, il est vrai, fait long feu : il n'est pas certain, c'est une litote, que, dans nos démocraties occidentales du moins, nombreux soient les individus disposés au sacrifice de leur vie pour la gloire de Dieu, de la patrie ou de la révolution prolétarienne. En revanche, leur liberté et, plus encore sans doute, la vie de ceux qu'ils aiment – notamment de leurs enfants – pourraient bien leur paraître, dans certaines circonstances extrêmes, mériter qu'ils assument encore des combats. Et c'est là où je veux en venir : *il me semble évident qu'aux transcendances de jadis – celles de Dieu, de la patrie ou de la Révolution – nous n'avons nullement substitué l'immanence radicale, le renoncement au sacré en même temps qu'au sacrifice, mais bien plutôt des formes nouvelles de transcendance, des transcendances « horizontales » et non plus verticales, si l'on veut : enracinées dans l'humain et non plus dans des entités extérieures et supérieures à lui.* Et c'est en ce sens que je parle d'un humanisme de l'homme-dieu. Non pas, bien entendu, que je divinise l'homme, au sens où je le trouverais « formidable » ou « épatant ». Il suffit d'ouvrir les yeux sur le monde qui nous entoure pour se convaincre, hélas, du contraire. Simplement, malgré tous ses défauts et toutes ses faiblesses, c'est en lui et nulle part ailleurs sans doute que je trouve aujourd'hui des raisons de « sortir de moi », d'admirer, de respecter et d'aimer quelque chose qui dans l'autre être en quelque façon m'oblige.

C'est cela, il me semble, qu'il s'agit de penser si l'on veut cesser de vivre, comme le matérialiste doit bien se résoudre à le faire, dans cette intenable dénégation qui consiste à reconnaître dans son expérience intime l'existence d'un « absolu pratique », de valeurs qui engagent absolument, tout en s'attachant sur le plan théorique à défendre une morale purement relativiste qui conduit à réduire cet absolu au statut d'une simple illusion à surmonter.

IV – DANS CES CONDITIONS, LE QUATRIÈME PILIER DE L'HUMANISME DE L'HOMME-DIEU CONSISTERAIT À ÉLABORER LES PRINCIPES D'UNE SPIRITUALITÉ ENFIN LAÏQUE OU, SI L'ON VEUT, UNE « SAGESSE DES MODERNES ».

C'est toute la question du sens de la vie humaine qui se trouve ici reposée en filigrane. Elle se résume à une interrogation fondamentale : à quoi cela sert-il de vieillir ? Sans la perspective de l'humanisme postnietzschéen auquel je songe, la réponse peut être, au fond, assez simplement formulée. Si l'expérience humaine a un sens, c'est bien celui qui consiste dans la chance qui nous est offerte de pouvoir nous arracher tout au long de l'existence à notre condition première, particulière, qui est celle de notre naissance. Je suis né français, à une époque et dans un milieu social particuliers. Mais je puis, par la liberté, m'émanciper pour une part de cette situation d'origine. Je puis voyager, dans les terres ou les mers comme dans les livres, je puis apprendre d'autres langues, découvrir d'autres cultures, bref, m'élever vers plus d'humanité, moins de particularité et plus d'universalité. En d'autres termes, il m'est donné de pouvoir élargir l'horizon et si, comme dans la Bible, connaître et aimer signifient au fond la même chose, cette trajectoire me permettra de mieux connaître et peut-être aussi de mieux aimer autrui. Si l'arrachement au particulier et l'ouverture à l'universel forment une expérience singulière, si ce double processus tout à la fois singularise nos propres vies et nous donne accès à la singularité des autres, il nous offre en même temps que le moyen d'élargir la pensée, celui de la mettre en contact avec des moments uniques, des moments de grâce, irremplaçables parce qu'eux-mêmes singuliers. C'est en ce point que la spiritualité laïque rejoint la doctrine du salut dont l'idéal est de nous permettre de vaincre nos peurs, à commencer bien entendu par celle de la mort que seul un contact avec ce qui échappe au temps ou du moins semble l'abolir, avec l'Irremplaçable, donc, parvient, sinon à supprimer, du moins pour ainsi dire à mettre entre parenthèses.

À quoi sert de vieillir ? À cela et peut-être à rien d'autre. À élargir la vue, aimer le singulier et vivre parfois l'abolissement du temps que nous donne sa présence. Hugo l'avait compris, l'un des rares à avoir répondu, dans l'un de ses plus beaux poèmes, à cette question ultime entre toutes. C'est à lui que je laisserai le dernier mot :

« Booz était bon maître et fidèle parent
Il était généreux quoi qu'il fût économe
Les femmes regardaient Booz plus qu'un jeune homme

Car le jeune homme est beau, mais le vieillard est grand...
Le vieillard qui remonte vers la source première
Entre aux jours éternels et sort des jours changeants
Et l'on voit de la flamme aux yeux des jeunes gens
Mais dans l'œil du vieillard on voit de la lumière. »

La beauté n'est pas grandeur, ni la flamme lumière et c'est cela, peut-être, qui donne du sens à cette étrange et singulière expérience qu'est l'existence humaine.

II

Réponses aux objections

Les réflexions, observations et objections qui m'ont été adressées après la publication d'*Apprendre à vivre* proviennent d'horizons très divers. Les plus significatives me furent cependant faites par des penseurs matérialistes et des théologiens chrétiens. Je cite longuement et analyse dans ce qui suit celles d'André Comte-Sponville, d'Hippolyte Simon, évêque de Clermont-Ferrand, ainsi que de Michel Quesnel, le recteur de l'Université catholique de Lyon[1]. Qu'ils soient ici chaleureusement remerciés pour avoir pris la peine de me lire avec tant d'attention et de me faire bénéficier de remarques qui m'ont sans aucun doute

1. J'ai, bien entendu, laissé de côté les formules de politesse et autres passages touchant des considérations personnelles.

permis de préciser mais aussi d'enrichir et d'approfondir de manière significative le point de vue que j'avais développé dans ce livre.

La double nature paradoxale de ces critiques mérite en soi réflexion. Elle tient certainement à une raison de fond : l'humanisme postnietzschéen que je professe repose sur le constat d'une extériorité ou d'une transcendance radicales de valeurs dont je tiens pourtant qu'elles ne se manifestent nulle part ailleurs que dans l'immanence à notre conscience. Je n'*invente* pas la vérité, la justice, la beauté ou l'amour, je les *découvre* en moi-même, mais, cependant, comme quelque chose qui me dépasse et m'est pour ainsi dire donné du dehors – sans que je puisse pour autant identifier le fondement ultime de cette donation. Il subsiste un mystère de la transcendance. *Or c'est justement ce mystère que le matérialisme et la théologie ne peuvent que rejeter.* L'un comme l'autre, en effet, ils entendent en finir avec cet insoutenable flottement de la transcendance, en l'arrimant de manière enfin solide et ferme à une fondation ultime : matérielle pour les uns (qui en font ainsi une illusion), divine pour les autres, mais, dans les deux cas, certaine et définitive. Pour l'un comme pour l'autre encore, une philosophie qui ne s'achève pas dans la découverte d'un fondement dernier laisse l'explication de notre sentiment de transcendance imparfaite, incomplète, pour ne pas dire irrationnelle.

Dans la perspective qui est la mienne, le mystère de la transcendance n'a au contraire rien que de tout à fait rationnel – au sens où il est, cela dit sans le moindre artifice sophistique, *parfaitement rationnel qu'il y ait de l'irrationnel*, et ce pour une raison qui est liée à la déconstruction de la métaphysique sur laquelle s'appuie l'humanisme de l'homme-dieu : sauf à sombrer dans les illusions les plus classiques du dogmatisme, il faut admettre qu'aucune explication causale ne saurait jamais s'achever par la découverte d'une causalité ultime, d'une « cause première » qui serait « cause de soi » ou, à tout le moins, l'explication de tout le reste. C'est même pour cette raison que les sciences positives ont aujourd'hui assumé la conviction qu'aucune d'entre elles ne saurait jamais se clore définitivement dans un quelconque « savoir absolu ». Pour tout rationaliste authentique, c'est-à-dire critique et non dogmatique, il est clair que le progrès scientifique est sans fin, infini ou indéfini, *non seulement en fait mais bel et bien en droit* – ce qui signifie, si les mots ont un sens, que du mystère subsistera toujours dans notre connaissance du monde. *Or voilà ce avec quoi les deux plus grands versants de la métaphysique classique, le versant matérialiste et le versant religieux, veulent en finir, soucieux qu'ils sont chacun à leur manière d'identifier enfin le fondement naturel ou spirituel de la connaissance et de l'éthique – l'économie, les gènes, la libido d'un côté, Dieu de l'autre, ou tout autre principe explicatif que l'on voudra ajouter encore à ceux-là.*

Je comprends parfaitement ce désir de rationalité ou tout au moins, s'agissant d'une religion qui entend malgré tout faire place à la foi et au mystère de la création, d'explication parfaite, mais je ne puis le partager. Toute la philosophie dans laquelle je m'inscris s'y oppose et il est ainsi normal qu'elle soulève des objections de la part des deux plus grandes tentatives de dévoiler les fondements derniers de notre univers intellectuel et moral.

Cela dit, elles prennent bien entendu des formes très différentes ici et là, qu'il est temps maintenant d'examiner chacune pour elle-même. En répondant à leurs objections, je pourrai aussi préciser de façon plus profonde le sens exact de la définition de la philosophie que j'ai proposée dans la première partie de ce livre.

I – LES OBJECTIONS D'ANDRÉ COMTE-SPONVILLE

[...] Je trouve ta définition de la philosophie (« une recherche du salut sans Dieu ») un peu unilatérale. D'abord parce qu'il y a des philosophies du salut avec Dieu (Malebranche, Pascal, Kierkegaard, Simone Weil...). Ensuite parce qu'il y a des philosophes qui ne croient pas au salut (parmi lesquels beaucoup de nos contemporains, me semble-t-il, y compris parmi les bons : mon ami Francis Wolff, qui est à mon avis l'un des meilleurs philosophes de notre génération, serait surpris d'apprendre qu'il cherche un salut ; Clément Rosset aussi, me semble-t-il ; Marcel Conche te dirait qu'il ne cherche quant à lui que la vérité ; et je me souviens de ton frère Jean-Marc me disant, lors d'un débat public, que le bonheur ou le salut n'étaient nullement, à ses yeux, le but de la philosophie...). Enfin, il y a quelques chefs-d'œuvre incontestablement philosophiques où le salut n'entre pas en jeu : Le Prince *de Machiavel, le* Traité de la nature humaine *de Hume,* La Logique de la découverte scientifique *de Popper. [...] Et même Sartre ou Heidegger : peut-on les faire entrer dans ta définition ? Je n'en suis pas sûr. [...] Et Derrida ? Et Foucault ? Et Deleuze ? Sauf à donner au mot « salut » une extension exagérément vaste, donc une compréhension exagérément pauvre, qui affaiblirait d'autant le contenu de ta définition, je ne*

suis pas certain que le salut soit vraiment leur problème. […] D'ailleurs, pour ce qui me concerne, je crois de moins en moins au salut, ou plutôt je n'y crois pas du tout, sauf par métaphore (pour penser tout autre chose : l'éternité, autrement dit l'identité du salut et de la perte, du désespoir et de la béatitude), et je n'en suis pas moins philosophe pour autant. […]

Autre désaccord, au moins partiel : ce que tu dis sur la sagesse antique (« trouver sa place dans le monde ») me paraît là encore trop unilatéral. Cela ne vaut pas pour toute l'Antiquité, tant s'en faut ! Les épicuriens et les sophistes ne seraient pas d'accord, tu le sais. Mais Platon le serait-il tout à fait ? Je n'en suis pas certain. Le vrai monde, pour lui, n'est pas le nôtre, sensible et changeant, qu'il s'agit plutôt de quitter : c'est le sens du « mythe de la caverne », dans La République, *mais aussi du* Phédon *ou du* Théétète *(« Il faut tâcher de fuir au plus vite de ce monde dans l'autre… »). Et même Aristote pourrait t'objecter, me semble-t-il, qu'il n'y pas d'ordre du monde pour le monde sublunaire, où nous vivons, ce qui nous voue à la* phronèsis *(la prudence, comme sagesse de l'incertain et de l'à-peu-près) au moins autant qu'à la* sophia *ou à la vie théorétique (la contemplation). Et même, s'agissant de cette dernière, il s'agit moins de « trouver notre place » dans le monde que de « nous immortaliser, autant qu'il est possible », comme dit Aristote, et par la contemplation du divin plutôt que du cosmos : le salut relève moins de la physique que de la théologie. Bref, tu as bien fait de choisir les stoïciens comme exemple : ils te donnent à peu près raison (même s'il s'agit moins pour eux de trouver sa place que de constater qu'on y est déjà), mais leur singularité limite la portée de ta thèse (à certains égards, y compris biographiques, ils sont les moins grecs des philosophes grecs).*

Dernier désaccord, qui justifierait un livre (nous l'avons déjà écrit !) et que je n'évoque qu'en vitesse : ce que tu dis sur le matérialisme. Pour faire vite, je ne prends que ta page 260.

« Le matérialiste, écris-tu, dit, par exemple, que nous ne sommes pas libres. » Épicure et Lucrèce en seraient très surpris : ils disent exactement le contraire ! Or ils représentent le principal matérialisme de toute l'Antiquité, et peut-être de tous les temps. [...] Quant à Marx, il ne serait que très partiellement d'accord avec toi : il te citerait la formule bien connue d'Engels commentant Hegel : « La liberté, c'est la nécessité comprise. » Tu peux penser que c'est une mauvaise façon de penser la liberté ; tu ne peux pas la réduire à une négation de la liberté. Quant à moi, j'ai expliqué bien souvent qu'il y a quatre sens du mot liberté : la liberté d'action (la liberté selon Hobbes : faire ce qu'on veut) ; la spontanéité du vouloir (la liberté selon Épictète, Leibniz ou Bergson : vouloir ce qu'on veut) ; la liberté de la raison (la liberté selon Spinoza, Marx ou Freud : la compréhension libre de la nécessité, qui n'est soumise qu'à soi) ; enfin le libre arbitre (la liberté selon Descartes ou Sartre). Or seule la quatrième, à mes yeux, est une illusion. Tu peux penser que j'ai tort, mais pas dire que je pense que « nous ne sommes pas libres », sauf à préciser : « Au sens du libre arbitre, c'est-à-dire d'une liberté absolue. » Mais, à ce compte-là,

Leibniz et Bergson sont de mon côté, et personne ne dit, à ma connaissance, qu'ils nient l'existence de la liberté ! J'ai écrit souvent : « On ne naît pas libre, on le devient. » Mais penser la libération, ce n'est pas nier la liberté : c'est une certaine façon de la penser, et parfois de la conquérir, au moins partiellement.

« Le matérialisme, ajoutes-tu, dit que nous sommes de part en part déterminés par notre histoire. » Là encore, Épicure et Lucrèce sauteraient au plafond, et moi avec ! Il y a de l'indéterminisme, c'est ce que Lucrèce appelle le clinamen *et que la physique contemporaine confirme. Bien loin que cela gêne le matérialiste, cela lui ôte un gros problème, qui était l'objection du fatalisme (ce qu'Épicure appelait, pour le combattre, le « destin des physiciens », et celui des historiens ne vaut pas mieux). Cet indéterminisme ne suffit pas, à mon sens, à sauver le libre arbitre, mais laisse à la liberté sa place (toujours relative et limitée) et interdit de confondre le matérialisme avec un pandéterminisme (donc avec un fatalisme). Laplace est mort, et c'est tant mieux. Épicure est toujours vivant, et ton ami aussi ! (Petite parenthèse amicale : tu as toujours tendance, pour la commodité de l'exposé ou de ton argumentation, à faire de moi un bouddhiste, un stoïcien ou un spinoziste… J'ai beaucoup d'admiration, en effet, pour ces trois écoles ; mais enfin j'ai dit souvent que j'étais plus proche de l'épicurisme, spécialement dans sa lecture lucrétienne, c'est-à-dire tragique ; or l'épicurisme est un matérialisme indéterministe.)*

Enfin, le matérialiste, selon toi, dit qu'« il faut aimer le monde tel qu'il est, se réconcilier avec lui, fuir le passé et l'avenir pour vivre au présent ». Là, il faudrait faire le tri. Je parle plus volontiers d'acceptation que d'amour, et quand je parle d'amour c'est par fidélité à l'esprit des Évangiles davantage qu'au matérialisme. Mais peu importent les mots. Quant au fond, il ne s'agit pas d'« aimer Auschwitz », comme tu dis, mais d'accepter que le monde soit ce qu'il est, et de l'aimer, quand on peut (le plus souvent, on ne peut pas : c'est ce que j'appelle le tragique). Cela dit, quand je lis Etty Hillesum, parlant d'Auschwitz (où elle est morte) et d'amour, j'ai envie de pleurer d'admiration et d'émotion. Mais cela relève davantage de la spiritualité que du matérialisme (qui n'était assurément pas la position d'Etty Hillesum). Réconciliation ? Cela dépend en quel sens. « Aimer ses ennemis », si l'on en est capable, cela suppose qu'on a des ennemis, et ce n'est pas une raison pour cesser de les combattre ! J'ai expliqué mille fois (y compris dans La Sagesse des modernes*) qu'accepter le monde, ce n'est pas dire que tout est bien ou pour le mieux (ça, c'est Leibniz qui le dit, pas les matérialistes !), ni, encore moins, renoncer à le transformer : si le sage dit oui à tout, ce n'est pas parce que tout est bien mais parce que tout est. Dire oui à tout, c'est donc dire oui aussi à notre révolte* (cf. *Camus), à notre compassion* (cf. *le Bouddha), à notre action* (cf. *Épictète), à notre morale* (cf. *Spinoza), qui fait partie du monde et nous interdit de le laisser en l'état. Et même chose, bien sûr, pour l'*amor fati *chez Nietzsche : il ne s'agit pas d'approuver les béni-oui-oui ou les médiocres ! Tu as raison de noter que c'est mon point de proximité avec le stoïcisme, mais on ne comprend pas le stoïcisme* *quand on y voit une école de la passivité ou de la résignation. C'est tout le contraire : une école du courage, de la volonté et de l'action !*

Quant à « fuir le passé et l'avenir », il n'en est pas question ! On ne va pas confondre la sagesse avec le « no future » *des punks ou des idiots ! Il s'agit certes d'habiter cela seul qui nous est donné, le présent (essaie un peu d'habiter le passé ou l'avenir !), mais y compris avec un rapport présent au passé (la mémoire, la gratitude, la fidélité...), un rapport présent à l'avenir (l'anticipation, l'imagination, le fantasme, le programme, le projet, la confiance...). Non pas « fuir le passé et l'avenir », donc, mais les vivre dans le plaisir, la plénitude et l'action (gratitude et fidélité, fantasme et confiance), plutôt que dans le manque et l'impuissance (regret et nostalgie, espérance et crainte). Bref, tout le contraire du* carpe diem *auquel on réduit trop souvent et à tort l'épicurisme (la formule est d'Horace, point d'Épicure) ! »*

II – RÉPONSES AUX OBJECTIONS D'ANDRÉ COMTE-SPONVILLE

Encore un grand merci pour ces remarques et ces critiques. Voici les quelques réflexions qu'elles m'inspirent. Les premières concernent, bien entendu, le problème principal que tu soulèves touchant la définition de la philosophie. Les secondes portent sur la philosophie grecque, et notamment sur l'idée selon laquelle la notion de « sagesse du monde » (Brague) ou, comme je dis, de « cosmologico-éthique » ne vaudrait véritablement que pour les stoïciens. Les troisièmes s'adressent enfin plus directement à ta propre démarche philosophique, à la question de ses sources aussi épicuriennes, en effet, que spinozistes.

Sur la définition de la philosophie

Tu m'opposes d'abord et avant tout le fait qu'une pléiade de philosophes, pour l'essentiel contemporains, mais pas seulement (tu cites notamment, parmi les classiques, Hume et Machiavel), ne se reconnaîtraient sans doute pas dans la définition que je donne de la philosophie comme « doctrine du salut sans

Dieu ». D'un point de vue factuel, tu as probablement raison. *De jure*, en revanche, je n'en suis pas convaincu, et il me semble au contraire crucial de percevoir en quoi la définition de la philosophie comme « doctrine du salut sans Dieu », même si elle ne peut évidemment pas, pour des raisons sur lesquelles je reviendrai plus loin, pas plus d'ailleurs qu'aucune autre définition de la philosophie, faire consensus chez les contemporains, rend bien compte de ce que fut l'histoire de la philosophie à son plus haut niveau, je veux dire chez ceux qu'on désigne classiquement comme les « grands auteurs » et qu'on pourrait en première approximation définir comme les pères fondateurs d'une grande vision du monde.

Voici donc, touchant ce premier versant de ta lettre, quelques réflexions qu'il faudrait bien entendu développer mais que j'indique ici pour ouvrir la discussion.

La première, c'est que la définition que je propose s'entend comme couronnement d'une tâche de la philosophie que j'ai décrite comme passant au préalable par deux autres grands axes : la théorie et l'éthique. C'est dire déjà – comme je n'ai cessé d'y insister à chaque chapitre de mon livre qui est tout entier structuré autour de cette tripartition – que la philosophie ne se réduit pas à la seule doctrine du salut. Simplement, ses deux premiers moments ne prennent leur sens véritable qu'en relation avec le troisième. Il y a en elle une activité, au premier abord du moins, strictement intellectuelle (l'ontologie, la « compréhension de ce qui est », pour parler comme Hegel, mais aussi la théorie de la connaissance, l'épistémologie), et une réflexion morale, au sens large (incluant le cas échéant la sphère juridique et politique). Il est clair que ces deux moments précèdent toujours la discussion sur ce que j'appelle le « salut » ou la « sagesse » – termes entendus ici au sens large de dispositif intellectuel censé nous permettre de nous sauver des peurs originelles, métaphysiques, dans le dépassement desquelles les épicuriens autant que les stoïciens voient déjà la source première et la finalité ultime de la philosophie.

La thèse que j'avance ne vise nullement à sous-estimer l'importance du travail théorique ou de la réflexion éthique, mais seulement à souligner le fait que, dans toute philosophie authentique, ces deux moments sont tout à la fois reliés entre eux et subsumés au final sous un troisième : celui de la sotériologie dont la sagesse est la principale préoccupation (c'est par elle, et non par la croyance en un Dieu, que les philosophes antiques nous invitent à nous sauver des peurs). Pour des raisons sur lesquelles je vais revenir dans un instant, la troisième partie peut donc être explicite ou, comme c'est le cas chez certains philosophes – notamment parmi ceux que tu cites –, implicite, de sorte que, dans ces conditions, leur pensée théorique ou morale doit être resituée au sein d'une vision du monde plus large, qui, elle, développe bien une doctrine de la sagesse et du salut, pour prendre véritablement tout son sens.

Cela dit, si la philosophie, comme Conche semble le penser, ne visait qu'à la « vérité » en un sens axiologiquement neutre, tout désintéressé et « objectif », alors je conseillerais sans la moindre hésitation à mes amis philosophes de se faire d'urgence scientifiques. Car la science est assurément le discours qui, par excellence, s'impose pour contrainte d'être aussi objectif qu'axiologiquement neutre. En revanche, si la philosophie a bien rapport à la vérité, si elle ne peut, pas plus que la science, tricher avec elle, il s'agit toujours, comme cela se vérifie de Platon à Nietzsche, d'une vérité *porteuse de sens*, c'est-à-dire tout à la fois d'éthique et de sagesse, jamais d'une « vérité tout court ». Si pour Épictète, par exemple, la « vérité du monde » telle que la dévoile la théorie, c'est que ce dernier prend l'allure d'un *cosmos*, d'un ordre harmonieux et bon, c'est bien parce que cette vérité-là, qui n'est pas réductible à celle des scientifiques, est virtuellement porteuse d'une éthique (qui invitera les hommes à imiter cet ordre) et d'une sagesse salutaire (c'est la fusion dans cet ordre qui nous sauvera finalement de la peur de la mort). Et si, chez Épicure et Lucrèce, la vérité est inverse, si le monde apparaît dans leur théorie « à eux » comme un chaos et non comme un ordre, comme un hasard plutôt qu'une nécessité, c'est sans nul doute parce que cette autre vision du monde est, elle aussi, porteuse d'éthique et de salut.

Tout autant que celle des stoïciens, la morale d'Épicure s'appuie sur une théorie de la nature des choses. Et je ne vois aucune philosophie qui ne dévoile, elle aussi, jusques et y compris chez Nietzsche et Heidegger, une vérité dont les implications sont loin, infiniment loin, d'être « axiologiquement neutres », pour reprendre une fois encore la fameuse formule qui définit selon Max Weber la vérité scientifique. Cela ne signifie évidemment pas que le philosophe soit de « parti pris », encore moins qu'il enjolive ou arrange la vérité pour lui faire dire ce qu'il veut sur le plan moral ou sotériologique. Mais cela signifie que la vérité scientifique seule ne suffit pas à satisfaire les exigences de la philosophie.

Le point est décisif : il permet d'entrevoir en quoi la théorie philosophique ne se confond pas avec la théorie scientifique, même si elle ne peut s'en passer. J'y reviendrai longuement dans la troisième partie, notamment avec l'aide de Popper et de Heidegger. Mais d'ores et déjà, à partir de ces simples exemples grecs, on perçoit que la recherche de la vérité n'a pas le même sens ni le même statut ici et là. La preuve ? À l'évidence, elle n'obéit pas aux mêmes règles de validation : la philosophie, sauf de manière métaphorique, n'est ni expérimentale comme les sciences naturelles, ni hypothético-déductive comme les mathématiques. Qu'elle mobilise les sciences exactes et les mette parfois à son service est peu douteux. Plus que jamais sans doute, les philosophes doivent s'y intéresser de près. Pour construire la théorie philosophique, il faut partir du réel tel que les sciences positives nous permettent de l'imaginer. Pour autant, ni la théorie de la connaissance ni l'ontologie ne se confondent avec les sciences proprement dites. Même Popper le reconnaît pour son propre compte. Sa philosophie n'obéit pas aux mêmes règles d'évaluation que les sciences expérimentales : pour l'essentiel, elle n'est pas « falsifiable », et le critère de démarcation entre science et philosophie, cette fameuse falsifiabilité justement, s'avère être lui-même un critère non falsifiable.

Par ailleurs, il est clair aussi qu'une philosophie peut être partielle, qu'elle peut, par exemple, privilégier la théorie ou la morale, plutôt que la sotériologie, sans pour autant cesser d'être, bien que limitée, philosophique. Imaginons que Kant soit mort en 1781, juste après la publication de la *Critique de la raison pure*, mais avant d'avoir pu rédiger les deux autres *Critiques* ainsi que ses principaux écrits sur la religion. Sans aucun doute, nous considérerions sa première œuvre comme un immense livre de philosophie. Pour autant, la réflexion kantienne sur les deux autres questions fondamentales – *Que dois-je faire ? Que m'est-il permis d'espérer ?* – serait quasiment absente, de sorte qu'il n'y aurait ni morale ni doctrine du salut kantiennes ! Tu pourrais alors compter aussi la philosophie transcendantale dans la liste de tes contre-exemples à la définition que je propose de la philosophie comme « doctrine du salut sans Dieu ». Voici où je veux en venir : bien qu'elle s'en tienne, pour l'essentiel, à la seule sphère de la théorie, la *Critique de la raison pure* ne s'en inscrit pas moins dans une vision du monde plus large – celle du rationalisme critique, de l'humanisme des Lumières – au sein de laquelle les préoccupations éthiques et sotériologiques sont bien présentes. Simplement, elles demeureraient chez Kant, dans cette hypothèse imaginaire, en pointillé, et il appartiendrait à d'autres penseurs de relier sa réflexion théorique avec un ensemble plus large dans lequel on trouverait, par exemple, une partie de la pensée rousseauiste, la Déclaration des droits de l'homme, les plaidoyers de Voltaire pour la liberté d'opinion, la tolérance, l'élargissement de la pensée, certaines formes de déisme, etc. Kant serait toujours un philosophe, mais sans doute pas aussi grand, parce qu'il ne serait pas, comme nous apparaît l'auteur des trois *Critiques*, un « père fondateur », mais plutôt un artisan parmi d'autres de l'élaboration d'une *Weltanschauung* commune au XVIIIe siècle, ou à tout le moins, largement partagée par lui.

Ce qui me conduit à ma seconde remarque, qui concerne les auteurs dont tu m'assures qu'ils ne se reconnaîtraient pas dans l'idée de « doctrine du salut sans Dieu ».

POPPER, FOUCAULT, HABERMAS, DERRIDA ET LES AUTRES...

La plupart de ceux que tu cites se trouvent dans le cas que je viens d'évoquer : ils ont travaillé *un*, voire *deux* des grands axes de la philosophie, mais sans aborder les trois, soit par manque d'intérêt, voire par réticence pour le troisième, soit parce qu'ils s'inscrivaient explicitement dans une vision du monde déjà ouverte par un prédécesseur.

Clairement, par exemple, Foucault et Deleuze pensent à partir de Nietzsche, ils s'installent pour ainsi dire « en lui » pour poursuivre, comme ils le disent eux-mêmes, un travail d'« archéologie » ou de « généalogie ». Je ne fais que reprendre ici ce que Foucault déclarait, non sans honnêteté, dans un entretien paru juste après sa mort dans *Les Nouvelles littéraires* (le 29 mai 1984) : « Heidegger a toujours été pour moi le philosophe essentiel... Tout mon devenir philosophique a été déterminé par ma lecture de Heidegger... Mais je reconnais que c'est Nietzsche qui l'a emporté... *Je suis simplement nietzschéen et j'essaie dans la mesure du possible, sur un certain nombre de points, de voir, avec l'aide des textes de Nietzsche – mais aussi avec des thèses antinietzschéennes (qui sont tout de même nietzschéennes !), ce qu'on peut faire dans tel ou tel domaine. Je ne cherche rien d'autre, mais cela je le cherche bien.* » Derrida, quoi qu'il ait pu en dire depuis la révélation du passé politique de Heidegger, entretenait le même rapport avec ce dernier – ce que seule l'inculture philosophique ambiante, notamment aux États-Unis, empêche de percevoir. Habermas, Rawls et Popper sont fondamentalement des hommes des Lumières, des héritiers du rationalisme critique de Kant. Bien entendu, ils en renouvellent eux aussi, comme Foucault ou Deleuze avec Nietzsche, la problématique. Ils apportent de nouveaux concepts (la « pragmatique », le « voile d'ignorance », la « falsifiabilité », par exemple). Ils critiquent et modifient la pensée kantienne en la confrontant à des interrogations et des défis intellectuels qui n'étaient pas ceux des origines. Il n'en reste pas moins qu'ils s'y réfèrent volontiers eux-mêmes, sans qu'il me soit besoin, ici non plus, de forcer le trait.

Le cas d'un penseur comme Machiavel est certes différent, mais, malgré l'apparence, il peut se ramener au cas de figure précédent. Non que Machiavel ait eu un maître à penser, un précurseur dans le sillage duquel il se serait inscrit. Mais, même si nous ne retenons de lui, pour l'essentiel, qu'un ou deux ouvrages de philosophie politique, il reste – tous ses grands interprètes s'accordent sur ce point – qu'il s'inscrit dans un cadre philosophique plus large, dans une vision du monde qui dépasse de loin cette « spécialité » : Machiavel n'est pas seulement le premier penseur de la politique moderne (Manent), de la démocratie (Lefort), le premier théoricien de la politique à l'âge de l'individualisme, mais il est aussi celui qui, avant tous les autres, analyse en profondeur les conséquences de la fin du cosmologico-politique et du théologico-politique (Pocock). Qu'il n'y ait chez lui, de manière explicite, ni *theoria* ni doctrine du salut ne signifie pas qu'il ne s'adosse pas à une vision du monde qui, globalement, est celle de l'humanisme naissant, au sein de laquelle on pourrait aisément repérer, par ailleurs, les deux éléments manquants.

En revanche, une telle explication ne vaut évidemment pas pour Heidegger – en quoi ta liste me paraît relativement hétérogène. De toute évidence, Heidegger, à la différence des auteurs qu'on vient d'évoquer, remplit la totalité du cahier des charges. Il couvre amplement, et même de manière remarquable à mes yeux, les trois axes de la philosophie, de sorte qu'il entre parfaitement dans la description que j'en donne – description qui d'ailleurs est en partie inspirée par lui. Bien entendu, comme chez Nietzsche déjà, Heidegger s'attache à déconstruire des concepts tels que ceux de « théorie », « pratique », « sotériologie ». Ce sont des notions qui lui apparaissent – il n'a cessé de le dire et cela ne saurait échapper à aucun de ses lecteurs – comme « métaphysiques », au sens péjoratif du terme. Elles doivent être soumises à la déconstruction. Il n'en reste pas moins, comme chez Nietzsche encore, qu'une fois le travail critique mis en œuvre, les concepts déconstruits et ce qu'ils pointaient, fût-ce sur le mode de l'illusion, subsistent en quelque façon.

C'est ainsi que, chez Nietzsche, la généalogie prend la place de la théorie de la connaissance, et la définition de « l'essence la plus intime de l'être » comme volonté de puissance, celle de l'ontologie. D'évidence aussi, l'« immoraliste » développe une nouvelle éthique, celle du « grand style », et l'« Antéchrist » une nouvelle façon de se « sauver » des peurs et des « passions tristes » : l'« innocence du devenir » ou *amor fati*, deux expressions qui prennent tout leur sens dans la doctrine de l'éternel retour, sont destinés à cela. Je ne crois pas qu'on puisse dire, comme tu le suggères dans ta lettre, que cette acception, évidemment non religieuse pour ne pas dire antireligieuse du mot « salut », soit illégitime ou laxiste : car il s'agit bien, comme Nietzsche le dit très explicitement dans les passages qu'il consacre à l'innocence du devenir et à l'*amor fati*, de parvenir enfin à surmonter certaines figures de l'angoisse, à se débarrasser une bonne fois de ces foyers de tourments que sont la culpabilité liée au passé et l'illusion des possibles arrimée au futur. Et s'il faut se « sauver » de ces deux maux, c'est bien en vue de parvenir à une forme de sérénité, de calme ou de grâce, que les Grecs n'auraient eu certainement aucune hésitation à désigner sous le nom de sagesse. C'est en ce sens que l'idée de sagesse est reliée à celle de salut, d'une manière qui me semble tout à fait rigoureuse : car la sagesse est bel et bien ce qui nous sauve des peurs primitives – et que ce « sauvetage » s'opère ou non par la croyance en l'immortalité n'est pas ici discriminant. Au final, cela importe peu, du moment que la vie angoissée et rétrécie peut faire place à la vie bonne et généreuse.

Chez Heidegger, entendus en un sens postmétaphysique, postdéconstructionniste si l'on veut, mes trois axes retrouvent aussi toute leur place, pourvu bien sûr qu'on tienne compte du décalage introduit par la déconstruction en tant que telle : à la théorie correspond alors ce que Heidegger nomme l'« ontologie fondamentale[1] » dont la tâche, en apparence tout intellectuelle, n'est cependant pas dépourvue de prolongements éthiques : même si toute problématique « morale » au sens classique du terme est récusée par Heidegger, il n'en reste pas moins qu'une exigence d'« authenticité » – *Eigentlichkeit* – anime en profondeur son travail de déconstruction des illusions métaphysiques et lui donne

1. Ou encore « analytique de la finitude » qui est chargée de nous faire remonter de l'« oubli de l'Être », caractéristique de la métaphysique, à sa reprise en vue – démarche du « pas en arrière », que Heidegger compare à celui de l'écrevisse.

un sens. Bien que Heidegger entende, comme Nietzsche toujours, penser « par-delà le bien et le mal », par-delà le dualisme métaphysique de la théorie et de la pratique, la prise en compte de l'Être dessine – *via* la déconstruction des dispositifs métaphysiques qui conduisent à son oubli, oubli dont l'apogée réside à ses yeux dans le monde de la technique – un chemin, sinon vers une morale traditionnelle (la *Lettre sur l'humanisme* écarte, en réponse à une question de Jean Beaufret, cette hypothèse), du moins vers une attitude « plus authentique ». Or cette dernière a pour finalité de nous permettre d'échapper à la « déréliction » qui règne sans partage dans l'univers technicien, anonyme et définalisé, dominé par la logique du « on » et la tyrannie de l'« arraisonnement » exercé sur la terre comme sur les êtres qui la peuplent. Nul hasard, dans ces conditions, si le tout se couronne d'une doctrine de la « sérénité », du laisser-être (*Gelassenheit*) dont on voit mal qui pourrait prétendre sérieusement – et, d'ailleurs, au nom de quoi ? – qu'elle ne viserait pas à nous faire accéder à une forme, certes non métaphysique, mais d'autant plus authentique, de sagesse où les peurs seraient enfin surmontées au profit d'un calme serein, associé à un certain retrait du monde. Là encore, les penseurs grecs, épicuriens ou stoïciens, n'auraient sans doute pas renié un tel « amour de la sagesse ».

En d'autres termes, ce n'est pas parce qu'une pensée se veut antimétaphysique, athée, déconstructrice et désillusionnée, qu'elle ne réassume pas, bien entendu sur un mode renouvelé, les trois grands axes que forment la théorie, l'éthique et la sotériologie ou doctrine de la sagesse, ici entendue comme ce qui nous permet de nous « sauver » des peurs liées à la finitude[1]. Si j'ai bonne mémoire, tu m'as dit d'ailleurs toi-même (tu l'as écrit aussi, mais je ne sais plus où...) qu'on ne philosophe pas pour s'amuser, pour se divertir, mais « pour sauver sa peau ». Si ce n'est pas là une forme de doctrine du salut, je veux bien, comme on dit, être pendu sous un fraisier...

1. Le cas de Hume serait aussi très intéressant à examiner à part. Il est, dans l'espace de la philosophie moderne, celui qui reprend le flambeau de ces grands contempteurs de la « sagesse du monde » que furent déjà les atomistes anciens et il annonce certains visages de la déconstruction contemporaine. Il est comme une espèce de maillon intermédiaire entre ceux qui, dans l'Antiquité, s'attachaient à casser les idoles de la cosmologie triomphante, et les théoriciens de la philosophie analytique qui s'assigneront pour objectif de crever les boursouflures métaphysiques. Hegel disait de l'empirisme humien qu'il n'appartenait plus à l'espace de la philosophie, qu'il constituait plutôt une « antiphilosophie », tout entière rivée au seul « point de vue de la réflexion », au « moment de la finitude », refusant de quitter la sphère de l'« être-là » pour s'élever jusqu'à celle du « pour soi », bref, une « contre-philosophie » plutôt qu'une « vraie » philosophie. C'est ce qui fait d'ailleurs tout le charme de l'empirisme anglais. En un sens, Hegel n'a pas tort et la philosophie analytique confirmera son diagnostic, même si c'est pour le retourner en quelque chose de positif. Cela dit, il existe à l'évidence, par-delà la déconstruction qui est comme l'arbre cachant la forêt, une morale de Hume (une pensée des « fondements naturels de l'éthique » que certains biologistes redécouvrent aujourd'hui sans en connaître toujours l'origine philosophique) et, bien sûr aussi, une sagesse du doute. Ici, nous retrouvons, à ce qu'il me semble, une voie déjà bien balisée depuis l'Antiquité, celle du scepticisme, avec tout ce qu'il peut avoir, lui aussi, de calme et de sérénité : choisissant, comme le dit encore Hegel, de s'en tenir sans rémission possible à la seule sphère de la finitude, refusant de toutes les forces que lui donne la lucidité déconstructrice, de la dépasser vers un Absolu quel qu'il soit, il est une des façons parmi d'autres possibles d'affronter la mort au sein de la vie et, par là même, de s'y préparer en apaisant les peurs que les illusions métaphysiques ne font, dès lors qu'elles sont douteuses, que renforcer.

Quant au statut de la philosophie chrétienne que tu évoques aussi, c'est-à-dire des philosophies du salut « avec Dieu », je m'en suis suffisamment expliqué dans mon livre pour ne pas y revenir longuement. Oui, bien entendu, il y a une philosophie chrétienne, notamment destinée à comprendre la parole du Christ, à l'interpréter, l'expliciter au mieux, mais aussi, comme on le voit chez Thomas d'Aquin, pour comprendre la nature comme œuvre de Dieu. En quoi, selon lui, la foi n'exclut en rien la science, mais au contraire la requiert. Le thème parcourra toute la tradition chrétienne jusqu'à la dernière encyclique de Jean-Paul II, *Fides et ratio*, qui, dans le sillage de saint Thomas, en appelle encore à laisser libre cours à la raison philosophique et scientifique. Et, en même temps, comment ne pas voir qu'à un moment ou à un autre, dès lors qu'il s'agit des questions essentielles et ultimes, à commencer par celle du salut, la philosophie doit laisser la place à la religion et la raison à la foi ? Parce que les vérités révélées, au final, sont toujours les plus hautes et que la philosophie, dans ces conditions, ne saurait jamais être plus, toujours selon le mot de Pierre Damien, qu'une « servante de la religion ». Cela n'a rien d'indigne ni d'incohérent. Simplement, c'est une conception scolastique et secondaire de la philosophie qui n'est acceptable que pour les croyants. Pour les autres, il faut bien faire appel à une « doctrine du salut sans Dieu », parfois même contre lui – ce qui s'appelle, proprement, philosopher.

Il me semble ainsi que la définition de la philosophie comme doctrine du salut sans Dieu, pour peu que l'on précise qu'une telle doctrine est adossée à une théorie et à une éthique, s'applique bien à l'ensemble des philosophies concrètes. Que certains philosophes choisissent, pour des raisons qui leur sont propres ou qui tiennent à l'époque, de s'en tenir seulement aux deux premières sphères est bien leur droit. Mais les « pères fondateurs », eux, ont dû parcourir l'ensemble d'une vision du monde et c'est à mes yeux cela qui les distingue des autres et qui fait que leurs noms, sans doute, traversent les siècles plus aisément.

J'ajoute, mais cela tu le sais déjà, qu'une telle définition vaut tout autant, sinon plus, pour les penseurs matérialistes et athées que pour les spiritualistes, de sorte qu'à mon avis, elle rend parfaitement compte de ce que fut la philosophie, du moins à son plus haut niveau, tout au long de son histoire. Cela dit, et maintenant que je pense t'avoir répondu sur le principe ou, comme on dit, *de jure*, il me reste encore à rendre raison autant qu'il est possible des *dissensus* de fait dont tu te fais à juste titre l'écho.

UNE DÉFINITION DE LA PHILOSOPHIE PEUT-ELLE, *DE FACTO*, ÊTRE CONSENSUELLE ?

Et, pour commencer, faut-il à tout prix qu'elle le soit ? Est-ce possible dans l'espace de la pensée contemporaine ? À vrai dire, sauf à s'en tenir à des formules abstraites et vagues – « étonnement », « réflexion », « esprit critique », « argumentation », etc. – qui confinent à la vacuité et n'engagent pratiquement à rien, j'en doute. Comme la politique, la philosophie est aujourd'hui un champ de bataille. Quel démocrate s'imaginerait sérieusement pouvoir convaincre tel leader d'extrême droite ou tel militant révolutionnaire dans un débat public ? Bien sûr, on ne l'exclut jamais tout à fait par principe, mais on ne peut pas non plus être naïf à l'excès : nous savons bien qu'ils sont les héritiers directs de maîtres-penseurs qui, il y a quelques décennies encore, nous auraient sans scrupule fusillés ou pendus à un arbre. L'éthique de la discussion a ses limites et il nous faut bien les assumer. Une bonne définition de la philosophie n'est pas forcément celle qui reçoit l'accord de tous nos contemporains, ce qui est impossible, pour ne pas dire inquiétant, mais celle qui ouvre une perspective et permet de penser, et pour le coup de manière aussi exhaustive que possible, l'histoire des grandes visions du monde qui forment notre tradition.

Or je crois bien que celle que je propose permet de le faire. Je n'en revendique pas moins le droit, pour ne pas dire le devoir, de ne pas être sur ce point consensuel – car je sais pour l'avoir vécu très concrètement lorsque j'ai tenté de réformer les programmes de notre enseignement, que je ne m'oppose pas seulement à des extrêmes – auxquels j'ai comparé pour me faire comprendre ceux de la politique –, mais bien plus encore sans doute à un cadre scolaire, d'inspiration tout à la fois catholique et républicaine, qui a façonné notre enseignement de la philosophie en France avant de devenir – ce que je regrette – une sorte de modèle pour d'autres pays dans le monde. Je sais bien que les distorsions qu'introduisent nos programmes dans l'idée que nous nous faisons de la philosophie n'épuisent évidemment pas notre différend. Pourtant, je suis convaincu qu'elles sont plus profondes et plus insidieuses qu'il n'y paraît et, bien que je ne compte évidemment pas m'en tenir à cette seule considération, je ne puis non plus la laisser tout à fait de côté, au moins pour commencer.

UNE TRADITION CATHOLIQUE ET RÉPUBLICAINE QUI DÉNATURE L'IDÉE QUE NOUS NOUS FAISONS EN FRANCE DE L'ACTIVITÉ PHILOSOPHIQUE

Un programme catholique et républicain, qu'est-ce à dire ? Pour aller à l'essentiel, ceci : du christianisme, nos programmes scolaires, et par là même une grande partie des enseignements qui en dépendent, quel que soit le talent des professeurs qui parfois ne sont plus d'accord avec l'idéologie qui les porte, ont retenu la réduction de la philosophie à une scolastique destinée pour l'essentiel à « analyser des grandes notions ». C'est peu de dire que nous sommes loin des écoles grecques qui voulaient, selon le mot de Sénèque, « apprendre à vivre » en exigeant des disciples qu'ils *pratiquent* la philosophie, qu'ils la vivent et se livrent à des exercices de sagesse destinés à nourrir concrètement la vie quotidienne.

Quel rapport avec la victoire, pendant près de quinze siècles, du christianisme sur la philosophie ? On peut l'établir assez simplement : à partir du moment où les questions du sens de la vie, de la sagesse et du salut sont devenues l'apanage de la foi et non plus de la raison, le propre de la théologie plus que de la philosophie, dès lors, donc, que cette dernière s'est vu reléguer au modeste statut de « servante de la religion », sa tâche, à proprement parler ancillaire, ne consiste plus qu'à analyser modestement des grandes catégories abstraites – le bien, le beau, le juste, le vrai, le temps, l'espace, etc. –, sans chercher à se mêler de ce qui, désormais, ne la regarde plus : la sagesse, le sens, le salut.

Or le paradoxe de l'histoire veut que notre idéal républicain, loin de s'opposer ici à la tradition chrétienne, s'est contenté de la conserver en lui ajoutant sa touche propre : à la philosophie désormais réduite à l'analyse de notions et débarrassée du souci de penser les questions dernières, il s'est contenté de superposer l'idéal de l'esprit critique, de l'argumentation et de la réflexion. Bien sûr, en invitant les jeunes à « penser par eux-mêmes », il semble s'opposer au dogmatisme religieux et, pour une part, c'est vrai qu'il le fait. Mais, pour l'essentiel, il se garde bien de toucher à ce que la scolastique avait si bien mis en place : un programme d'enseignement restreint à l'analyse de concepts abstraits et, par là même, vidé de toute sa substance vitale.

Parler de « spiritualité », de « sagesse », de « sens » ou de « salut » suffit dans ces conditions, déjà en soi, à irriter ou à repousser nombre d'intellectuels « désillusionnés » qui ont consacré leur vie à l'analyse purement théorique de concepts sophistiqués, à l'histoire de la philosophie ou à l'analyse critique de la société, bref, à des questions « sérieuses » parce que strictement « laïques ». Par une conjonction paradoxale, mais au final assez compréhensible, la religion chrétienne et le désenchantement du monde républicain concourent à parts égales dans la répulsion, assez générale il est vrai dans le milieu universitaire contemporain, qui s'attache à l'idée que la philosophie pourrait aller au-delà de la théorie (théorie de la science, de la société, de l'histoire, du langage, du droit, etc.) ou de la sphère éthique à laquelle on consent encore volontiers. Je t'accorde donc le fait que ma définition de la philosophie comme doctrine du salut sans Dieu n'est pas, en l'état, consensuelle – mais cela ne prouve pas nécessairement qu'elle soit non pertinente s'agissant de la tradition et de ce qu'on appelle encore les « classiques ».

Je suis même convaincu qu'aucun de nos contemporains ne saurait longtemps échapper à l'interrogation portant sur la finalité ultime d'un travail intellectuel qui occupe au final toute une vie. Voilà pourquoi aussi, mon hésitation est parfois grande avec certains de nos collègues. Par exemple, avec Habermas : après tout, il est bien possible qu'il soit, comme Horkheimer, plus sociologue que philosophe. C'est à lui de voir, de nous dire. J'ai eu un jour l'occasion de lui poser la question de vive voix, lors d'une discussion amicale. Il m'a répondu, en accompagnant sa réponse d'un revers de main qui indiquait combien la question lui semblait sans intérêt, que ce genre de distinction n'avait à ses yeux plus guère de sens : « *Gesellschafttheorie oder Philosophie ? Es ist mir egal* », m'a-t-il déclaré, ce dont j'ai eu tendance à conclure – mais peut-être était-ce à tort ? – qu'il était sans doute sociologue plus que philosophe et que, s'agissant du sens, du salut ou de la sagesse, il fallait à ses yeux s'en tenir à la sphère privée.

Je pense pourtant qu'aucune philosophie authentique ne peut en rester là. Je suis d'ailleurs convaincu que Habermas lui-même, s'il était poussé dans ses derniers retranchements, serait bien obligé de trouver une réponse, ne serait-ce que pour donner un sens à l'activité qui occupa et occupe encore l'essentiel de son existence. Peut-être dirait-il qu'il vise humblement à contribuer à l'émancipation et au mieux-être des hommes ou quelque chose dans ce genre-là. En quoi il retrouverait un lieu commun des Lumières. Peut-être, sans doute même, trouverait-il quelque chose de plus profond et plus original à dire. Je ne puis bien sûr rien affirmer à sa place et ses disciples devraient lui poser la question. En revanche, ce que je peux dire en toute certitude, c'est qu'une analyse de la société qui, bien que philosophique en son principe, en resterait à la seule sphère de la théorie, en ajoutant à l'occasion un souci d'éthique – d'« engagement » dans la cité, comme on dit depuis Sartre –, ne constituerait pas une philosophie complète. Car c'est pour ainsi dire ailleurs, à l'extérieur d'elle-même que son appartenance à une vision globale du monde spécifiquement philosophique se déciderait. Elle n'assumerait ni l'héritage des Grecs, ni celui de Spinoza, ni celui du Kant qui se demande avec insistance ce qu'il nous est « permis d'espérer ». Elle ne se situerait pas non plus au même niveau que les pères fondateurs de la déconstruction, Nietzsche et Heidegger, lorsqu'ils nous invitent à l'« innocence du devenir » ou à la *Gelassenheit* – terme qu'on traduit d'ordinaire par « sérénité » mais qui renvoie à l'évidence à une forme de sagesse laïque.

Nombre d'intellectuels, pourtant, s'en tiennent là et revendiquent le fait de ne pas aller plus loin : un peu de « théorie », qui se réduit le plus souvent à des tentatives de compréhension du temps présent – à ce que Clavel, je crois, nommait de manière assez drôle le « journalisme transcendantal » –, quelques prises de position éthico-politiques et, la notoriété aidant, on est réputé philosophe. Tu sais comme moi que cela n'a guère de sens, du moins ailleurs que dans l'univers médiatique. Même si tu t'es éloigné quelque peu de la problématique du salut qui animait tes premiers livres, tu n'en es pas moins resté essentiellement préoccupé par des questions (celles du bonheur, de la sagesse ou de la spiritualité laïque) qui se situent clairement « par-delà » la sphère de la théorie et de la pratique. Pour parler ton langage, qui est aussi celui de Spinoza, fondamentalement, tu t'intéresses davantage à l'*éthique* qu'à la *morale*, à la sagesse, à la béatitude et à l'amour plus qu'à la loi et aux devoirs qu'elle nous impose...

Reste donc à expliquer pourquoi cet appauvrissement de la philosophie, sa réduction aux seules dimensions de la théorie et de la pratique, à l'exclusion de la sotériologie et de la sagesse, sont si aisément partagés aujourd'hui.

À cela, je vois trois raisons, qui sont intimement liées entre elles.

La première, que j'ai déjà en partie esquissée en évoquant notre tradition scolaire catholique et républicaine, tient à la longue histoire – c'est tout simplement celle du libéralisme – du retrait progressif mais irréversible du religieux dans la sphère privée. Pour des raisons de fond sur lesquelles je ne reviendrai pas ici, l'univers laïque aime à discuter publiquement les questions de théorie, de morale et de politique, mais il rejette viscéralement dans l'ordre de l'intimité tout ce qui lui semble *a priori* – même si c'est à tort – relever essentiellement du religieux. Tout ce qui touche au sens, au salut, à la sagesse lui paraît « sentir le curé » ou, pire encore, appartenir à une forme de discours sectaire.

Le premier nietzschéen venu se croit plein d'intelligence quand il vous explique qu'il ne saurait plus y avoir de doctrine du salut dans une philosophie enfin désillusionnée. Le comique, dans l'affaire, c'est qu'il s'agit là, comme je viens de le rappeler, d'un des principaux effets pervers de la réduction, par le christianisme, de la philosophie au statut de servante de la religion. Pour les Grecs, qu'ils fussent matérialistes et atomistes ou idéalistes et cosmologistes, il allait de soi que le but de la philosophie était de fournir aux hommes une sagesse de vie qui s'appuie sur les seules forces de la raison. Il n'y avait pour eux aucune contradiction entre le rationalisme et la sotériologie, aucune difficulté à être, en ce sens précis, tout à la fois parfaitement laïque et cependant tourné sans réticence aucune vers la problématique du salut.

Dès lors qu'avec le christianisme, la religion l'emporte sur la philosophie, dès lors que la doctrine du salut dépend de part en part des vérités révélées, de la foi plus que de la raison, la philosophie vire à la scolastique. Elle peut, certes, continuer de s'exercer dans une certaine mesure au sein des sphères de la théorie et de la pratique, mais il lui est désormais interdit de s'aventurer dans des domaines qui, définitivement, ne sont plus les siens. Par un paradoxe aussi étrange sur le plan intellectuel que compréhensible sur le plan historique, c'est cet interdit que l'univers laïque continue, sans s'en rendre compte, de faire peser sur la philosophie, réduite, comme aux temps du christianisme triomphant, au statut subalterne de réflexion sur la théorie et sur la morale.

La deuxième raison est liée au devenir du monde de la technique, à la prédominance quasi sans partage de l'univers technicien. C'est en lui que nous voyons se développer sans cesse davantage le goût de la spécialisation et, avec lui, la disqualification du généraliste, frappé irrémédiablement d'illégitimité. Notre idéal universitaire repose sur le culte de l'érudition, au point d'en oublier le propos de Hegel : « L'érudition commence avec des idées, mais finit avec des ordures... » Dans nombre de nos grands organismes de recherche, la plaisanterie de Nietzsche selon laquelle le savant authentique doit rétrécir son champ d'interrogation et choisir un sujet bien délimité, tel que « le cerveau de la sangsue », pour accéder au savoir authentique, semble être désormais prise au sérieux. Dans cet esprit, le « vrai philosophe » doit se concentrer sur un « secteur ». Philosophie des sciences, de la morale, du droit, de la politique, de la société, de l'art, du langage, de la physique, des mathématiques, de la logique, de la biologie, de l'Orient, de l'Occident, de tel siècle et non de tel autre, du continent ou du monde anglo-saxon : on n'en finit plus d'énumérer la liste des « spécialités » dont l'existence même tend, par contraste, sans qu'il soit nécessaire d'y réfléchir, à disqualifier toute approche globale. Nul doute qu'Épictète ou Lucrèce verraient leur candidature refusée, et même tournée en dérision, par nos commissions universitaires de spécialistes… Je le dis d'autant plus tranquillement que je suis, comme toi, professeur d'université depuis plus de vingt ans et que j'éprouve le plus grand respect pour l'érudition authentique. Elle est indispensable à l'enseignement et j'ai passé moi-même quelques décennies à étudier l'histoire des idées, à traduire et commenter Kant, Lambert, Fichte, Schelling, Hegel, Cassirer, Horkheimer et quelques autres encore avec un inévitable souci d'« expertise ». Simplement, j'avais conscience que ce dernier n'avait aucun rapport, je dis bien aucun, avec la philosophie…

Enfin, la troisième raison de cet éloignement par rapport à la question de la sagesse me semble liée, par-delà le désenchantement du monde et l'avènement du règne de la technique, à la montée de l'idéologie républicaine ou, pour mieux dire peut-être, du républicanisme comme idéologie. J'en ai déjà dit un mot, mais il me faut y revenir encore un instant. Car c'est surtout à lui que nous devons ce qui constitue à mes yeux l'erreur par excellence, le *proton pseudos* : la réduction de la philosophie à une simple réflexion critique sur les « grandes questions » ou les « grandes notions » telles qu'elles s'enracinent dans le temps présent aussi bien que dans l'histoire des idées. Et voilà nos philosophes, d'Aristote à Heidegger et Nietzsche compris, enrôlés dans la formation d'honnêtes citoyens, conscients et responsables, soucieux du « vivre ensemble », capables de bien argumenter et de bien voter ! Évitons un malentendu inutile : j'aime la tradition républicaine et, politiquement, je m'y reconnais comme dans ma famille. Ses objectifs n'ont rien d'absurde ni d'indigne, tout au contraire, et j'irais même jusqu'à ajouter que la philosophie peut y tenir son rôle. Mais qu'à ce titre on prétende l'y réduire est le signe d'une déviation idéologique qui ne rend pas compte, et il s'en faut de beaucoup, de ce qu'elle a été pour l'essentiel de son histoire et peut rester encore aujourd'hui.

Une illusion analogue se répand d'ailleurs à propos de l'école. Je l'évoque au passage parce qu'elle n'est pas sans lien avec notre discussion. On ne cesse de dire et de répéter que la mission principale, pour ne pas dire ultime, de notre enseignement serait de « former des citoyens ». Il faudrait, paraît-il, enseigner de toute urgence à nos élèves le « vivre ensemble », viser par-dessus tout à favoriser leur autonomie, leur liberté de pensée, leur esprit critique. Qui pourrait d'ailleurs contester l'objectif ? Nous souhaitons tous que nos enfants parviennent à penser par eux-mêmes, qu'ils acquièrent autant que possible certains principes de civilité qui leur permettent plus tard de vivre en harmonie avec les autres. Mais est-ce là le but ultime de l'enseignement ? Je pense évidemment que non, que la préservation et la transmission des savoirs sont et doivent rester primordiales. Il suffit pour s'en convaincre de méditer une de nos expériences les plus communes : nous avons tous rencontré dans nos vies, deux ou trois « grands professeurs » – maîtresse d'école ou universitaire prestigieux, peu importe. Qu'ont-ils en commun ? D'être à genoux devant l'autonomie de l'enfant ? D'être des artisans zélés de l'instruction civique, des accoucheurs de conscience morale et de responsabilité ? Pas vraiment... À y regarder de près, leur *art* – et il faut dire et redire combien l'éducation n'est pas davantage une *science* que la politique – s'apparente plus à celui du sophiste, voire du comédien qu'à celui du démocrate. Leur charisme, leur charme n'appartiennent pas au registre des vertus républicaines, tant s'en faut. La vérité c'est que leur talent est de nous avoir *séduits* au point de nous faire découvrir une grande œuvre, une discipline, un champ du savoir ou de la culture qui nous semblaient *a priori* sans intérêt, voire plutôt rébarbatifs. Faire connaître et aimer les grandes œuvres, les grands moments de la vie de l'esprit, voilà la finalité tout à la fois première et primordiale de l'enseignement – et si l'on peut, au passage, comme de surcroît, faire en sorte que nos élèves deviennent des citoyens avisés, tant mieux. Ce n'est pas négligeable, en effet. Mais l'objectif, si louable soit-il, reste à tous égards secondaire. L'enseignement n'est pas l'éducation, les professeurs ne sont pas des parents, ni les élèves leurs enfants. Réduire les uns aux autres est aussi fallacieux que dangereux.

Il en va de même, et j'en reviens à la philosophie, pour sa réduction à une simple « réflexion critique » ou à une théorie de l'argumentation qui préparerait à une entrée réussie dans l'espace public. La réflexion et l'argumentation sont des activités hautement estimables, sans doute, mais ce ne sont que des moyens, nullement des fins en soi. La formation des citoyens est assurément une bonne chose, mais la philosophie n'est pas un instrument politique ni une béquille de la morale. C'est dans cet esprit que j'ai voulu soumettre à la discussion une tout autre définition de la philosophie, la voir enfin pour ce qu'elle est réellement : à savoir la grande concurrente des religions – et, pour le coup, elle est la seule activité de l'esprit à tenir ce rôle.

Pour reprendre une métaphore qui peut sembler à première vue simpliste, mais que je développe dans mon livre parce qu'elle offre à mes yeux le mérite de posséder plusieurs « harmoniques » : la théorie nous permet de nous faire une idée du terrain de jeu sur lequel va se dérouler notre existence – *en quoi elle a besoin des sciences positives sans pour autant s'y réduire.* La morale nous donne les règles du jeu et la sotériologie sa finalité – ou, le cas échéant, son absence de finalité dont il faut bien aussi penser quelque chose. Touchant la dernière sphère, on peut, bien entendu, mobiliser des termes différents : salut, sens, sagesse, spiritualité, sérénité. Ils ne sont pas équivalents, suscitent des réticences chez les uns et les autres qui ne sont pas du même ordre : sens est inacceptable pour les spinozistes ; salut l'est pour les nietzschéens parce qu'il sonne trop religieux pour être honnête ; spiritualité aussi, sagesse fait trop ancien… Toutes ces réticences me paraissent tenir, chacune à leur façon, aux trois raisons que je viens d'évoquer. Mais peu m'importe au fond, si des différences, et par conséquent aussi des répulsions existent autour du choix de chacun de ces termes, il est vrai très connotés, du moment qu'on m'accorde l'existence de ces trois sphères et qu'on n'annule pas la dernière pour limiter la philosophie aux deux premières. Car ma conviction est que, même contemporaine, même désillusionnée et postdéconstructionniste, la philosophie doit plus que jamais renouer avec les problématiques requises par cette troisième sphère en vue d'élaborer ce que nous avons nommé, d'ailleurs d'un commun accord, une « sagesse des modernes » ou une « spiritualité laïque ».

Sur la cosmologie ancienne et le fait que les sagesses du monde se trouvent aussi bien chez Platon ou Aristote que chez les stoïciens

Bien sûr, comme tu le notes toi-même, les sagesses du monde ne recoupent pas toute la philosophie grecque. L'expression, et surtout l'idée qu'elle recouvre, ne vaut ni pour les sophistes, ni pour les atomistes, ni pour les épicuriens. Il n'empêche que la spécificité du monde grec ne réside dans aucun de ces courants de pensée, mais dans la construction d'une cosmologie qui dominera l'espace intellectuel et moral de l'Europe jusqu'à la révolution scientifique moderne qui nous a fait passer, selon la belle formule de Koyré, « du monde clos à l'univers infini ». De façon parfaitement analogue, on pourrait dire que l'espace de l'humanisme et de la philosophie des Lumières sera marqué par l'émergence de l'idée démocratique et des droits de l'homme. Bien entendu, cela ne signifie pas que tous les penseurs, ni que tous les politiques seront d'accord avec ces idées. Il y aura des réactionnaires, des contre-révolutionnaires dont les idées se continueront jusqu'à l'extrême droite contemporaine, mais aussi des ultras d'un autre genre, dont le fascisme rouge sera l'héritier. Il n'empêche : l'Europe d'aujourd'hui est caractérisée avant tout par l'avènement de sociétés démocratiques qui impliquent des procédures parlementaires communes ainsi qu'un commun respect de l'idéologie des droits de l'homme, des élections et du pluralisme des opinions. Que des idéologies diverses rejettent cette caractéristique dominante de l'Europe d'aujourd'hui ne change rien au fait qu'elle constitue bien, au regard de l'histoire, l'une de ses spécificités les plus marquantes, comme celle de la Grèce fut d'élaborer une vision cosmologique de l'éthique et du salut des hommes.

Que les atomistes, les épicuriens ou les sophistes aient élaboré une superbe « contre-culture », qu'ils aient, avec le talent qu'on sait, entrepris de « déconstruire » la cosmologie triomphante de Parménide aux stoïciens en passant par Platon et Aristote, comme tels ou tels aujourd'hui peuvent déclarer, au nom d'une autre forme de contre-culture, que les élections sont un « piège à cons » et les droits de l'homme une supercherie bourgeoise, est une chose. Que, pour autant, la cosmologie ne soit pas la spécificité du monde grec comme l'est aujourd'hui la démocratie pour l'univers contemporain en est une autre dont je vois mal quel historien des idées, mais aussi des sciences, des arts ou de la culture pourrait sérieusement la soutenir. La spécificité d'une époque, pour parler comme Heidegger, ou d'une *épistémé,* pour reprendre le langage de Foucault, n'a jamais été synonyme d'homogénéité. Bien au contraire, c'est par rapport à elle qu'on peut repérer chaque fois la présence de contre-cultures, souvent matérialistes et déconstructrices avant la lettre, qui forment peut-être bien le principal ressort de l'histoire de la philosophie et que l'on détecte en tout cas, à toutes les époques de son histoire.

Quoi qu'il en soit de ce débat, il est clair que l'idée de sagesse du monde ou de « cosmologico-éthique » s'applique, bien entendu, tout autant à Parménide, Platon et Aristote, qu'aux stoïciens, même si ce dernier exemple, et c'est vrai que je l'ai choisi pour ce motif, est plus aisé à utiliser auprès d'un public débutant pour illustrer la définition de la philosophie comme doctrine du salut sans Dieu et celle de la tradition parménidienne comme « sagesse du monde ». Je te renvoie, outre à Koyré qui dit au fond la même chose, au beau livre de Rémi Brague, qui m'apparaît sur ce point définitif.

Pour ne pas en rester, cependant, à un argument d'autorité, permets-moi de te donner un exemple platonicien de ce que l'on doit entendre par « sagesse du monde » (pour Aristote, ce serait plus aisé encore : il faudrait, par exemple, remonter le fil des implications éthiques de sa théorie du lieu et du principe du mouvement défini par l'admirable formule « *physis archè kinéseos* » : « La nature est le principe du mouvement. » Mais tu m'accorderas que ce qui vaut pour Platon vaut *a fortiori* pour Aristote, qui est plus « réaliste » et naturaliste, ce qui m'évitera de pousser trop loin l'argumentation).

Comme tu peux t'en douter, je n'ai évidemment pas prétendu que, pour Platon, le monde vrai était le monde sensible ! Je connais, moi aussi, le « mythe de la caverne ». Mais l'idée de nature, comme l'idée de *cosmos*, ne se confond évidemment pas avec celle de monde sensible. La notion de « sagesse du monde » ou de « cosmologico-éthique » renvoie à tout autre chose : à l'idée que le critère des valeurs, qu'il s'agisse du vrai, du juste ou du beau, réside dans la représentation d'un *cosmos*, d'un ordre naturel radicalement extérieur aux hommes et supérieur à eux. J'y insiste encore : pour autant, cet ordre n'est pas nécessairement « sensible », « physique » au sens moderne et scientifique du terme, mais « naturel » et il peut, dans le platonisme, s'entendre en un sens non « réaliste ».

Considérons un instant, pour illustrer le propos, l'exemple fameux de la définition de la justice exposée par Socrate dans *La République*.

Il est sans doute aussi célèbre que le « mythe de la caverne » et tu me pardonneras de le rappeler seulement de façon schématique, pour n'en tirer que les conclusions qui intéressent notre discussion.

S'interrogeant sur la définition de la justice, Socrate propose à ses interlocuteurs d'accepter que la cité doive se diviser en trois classes : celle des dirigeants qui en conduisent la politique, celle des gardiens qui la protègent et font la guerre, et celle des artisans qui la font vivre matériellement. Trois vertus viennent compléter ce tableau : celle qui est requise par les chefs est la sagesse, pour les gardiens, c'est le courage, et pour tous, mais particulièrement quand même pour les artisans, il faut ajouter la tempérance. Socrate apporte encore deux précisions : cet ordre – ce *cosmos* – correspond, comme un parfait analogue, aux trois parties de l'âme (la raison, le courage, l'appétit), mais aussi aux trois grandes divisions du corps (la tête, le diaphragme, le bas-ventre).

Nous avons là l'exemple même d'une sagesse du monde, d'une vision cosmologique de l'éthique et de la politique, qui n'a rien à envier de ce point de vue à celle des stoïciens. Deux considérations simples suffisent à le montrer.

La première, c'est que la justice – dont Socrate rappelle que la recherche était le but du dialogue et de l'exposé qu'il vient de faire sur les trois classes – ne consiste en rien d'autre que dans cet ordre (toujours *cosmos* dans le texte grec) lui-même, dans le fait que la cité réelle l'imite et, pour ainsi dire, s'y « ajointe ». La justice n'a donc rien à voir, ni avec l'obéissance à des commandements divins, encore moins avec je ne sais quelle « volonté générale » qu'exprimerait une majorité d'êtres humains. Nous sommes, par avance bien sûr, aux antipodes du principe chrétien comme du principe humaniste ou démocratique et, en revanche, de plain-pied dans le principe cosmologique : la justice n'est rien d'autre que la *justesse*, si l'on entend par là, très concrètement, l'ajustement à un *cosmos*, à un ordre de la cité, de l'âme et du corps, dont Socrate vient d'esquisser la description.

La seconde considération, c'est que ce *cosmos*, pour n'être pas sensible, n'en reste pas moins de part en part *naturel*, comme Socrate ne cesse d'y insister, soulignant par exemple, et à maintes reprises, que la tâche de l'organisateur suprême de la cité consiste avant toute chose à choisir ceux qui sont « aptes *par nature* » à diriger ou à garder. Nous nous situons clairement ici dans une perspective tout à la fois cosmologique, naturaliste et aristocratique, une vision du monde dans laquelle la justice consiste dans l'imitation la plus parfaite possible de la hiérarchie naturelle des êtres. S'agissant, par exemple, des gardiens, la comparaison suivante ne laisse aucun doute sur ce point : « Crois-tu, demande Socrate à son interlocuteur, que le naturel d'un jeune chien de bonne race diffère, pour ce qui concerne la garde, de celui d'un jeune homme bien né ? » (374/375). Non, bien sûr, si l'on se place dans cet horizon cosmologico-naturaliste.

De là aussi – mais c'est seulement la confirmation de ce qu'on vient de dire, par la réciproque – le fait que l'injustice suprême consiste tout à la fois, c'est en vérité tout un, dans le désordre et dans la révolte contre la nature (433/434) : « La justice consiste à ne détenir que les biens qui nous appartiennent en propre et à n'exercer que notre propre fonction… Par contre, quand un homme *que la nature destine* à être artisan ou à avoir quelque autre emploi lucratif, exalté par sa richesse… tente de s'élever au rang de guerrier ou un guerrier au rang de chef et de gardien dont il est indigne… cette confusion entraîne la ruine de la cité. »

Comme on voit, tout autant chez Platon que chez les stoïciens, la justice consiste bel et bien dans l'imitation d'un ordre (*cosmos*) naturel, mais non sensible – un ordre physique, sans doute, mais au sens grec qui ne se confond évidemment pas avec l'acception scientifique et moderne du mot. Le principe de légitimation du juste est cosmologique. Il n'est ni divin, comme dans les grands monothéismes, ni humain, comme dans la philosophie moderne : le juste n'a rien à voir, strictement rien, avec la souveraineté du peuple. Il n'a aucun lien, ni direct ni indirect, avec ce que Rousseau nomme la volonté générale sur quoi vont se fonder les modernes théories de la loi et, plus généralement, de la justice. L'étalon du juste et de l'injuste est, de part en part, extérieur et supérieur aux hommes, transcendant par rapport à eux – ce qui distingue le cosmologico-éthique de l'humanisme moderne ; mais, transcendant par rapport aux hommes, il ne l'est pas pour autant, par rapport au monde entendu comme cet ordre naturel, cosmique ou cosmologique, peu importe, dont il n'est au contraire que le reflet ici-bas. Que cet ordre soit désigné comme « divin » autant que comme naturel, comme intelligible autant que biologique ou physique, ne doit pas nous égarer : nous ne sommes ni dans la théologie ni dans la science moderne, mais bel et bien dans le cosmologico-éthique, dans une morale naturaliste au sens, très précisément, que Platon donne à ce terme lorsqu'il déclare qu'il serait antinaturel, donc injuste, que les individus destinés *par nature* à remplir les trois cases prévues pour eux se trompent d'aiguillage !

On pourrait multiplier les exemples qui vont dans le même sens, montrer aussi comment le même type de critère régit les autres sphères de la philosophie, par exemple celle de l'art et plus généralement de la beauté qui, elle aussi, à l'image de la justice, réside dans l'imitation d'un ordre naturel et cependant non sensible. Mais cela est, je crois, suffisamment clair.

Passons au dernier point.

Sur l'existence d'un lien entre matérialisme et déterminisme et ton appartenance à la tradition épicurienne autant (ou plus) que spinoziste ou stoïcienne

Bien entendu, tu as raison de me rappeler – comme tu l'avais d'ailleurs déjà fait et j'ai eu tort de ne pas en tenir compte davantage dans la présentation de ta pensée – que tu es autant ou plus l'héritier d'Épicure et de Lucrèce que d'Épictète et de Spinoza.

Juste une remarque et une interrogation. La remarque, c'est, comme tu le soulignes très bien toi-même, que du point de vue de la problématique du libre arbitre – seule forme de liberté dont je parle dans mon livre, les autres ne me paraissant toujours pas, comme tu sais, mériter ce nom –, le hasard et la nécessité reviennent rigoureusement au même. Que le monde soit régi par l'un ou par l'autre ne change rien au fait que, dans ces deux cas de figure, il échappe à la volonté et à la responsabilité des hommes. Bien sûr, l'idée de hasard semble laisser une place, au moins possible, au libre arbitre, mais le problème de son statut n'en reste pas moins entier. Quant à la question, elle s'impose d'elle-même : comment concilier tes deux approches ? Comment accorder le déterminisme absolu qui caractérise le spinozisme et la philosophie du hasard et du *clinamen* ? Peut-être n'est-ce pas tout à fait impossible, mais je vois mal, je te l'avoue, comment le faire sans revenir à Kant et au fameux problème qu'il posait touchant la possibilité de réconcilier l'hypothèse du mécanisme, qui fonde la physique moderne, et celle de la liberté sans laquelle les idées morales, et notamment celle de responsabilité, n'ont plus aucun sens[1].

Quant à l'argument du bourreau, tu me permettras de ne pas y revenir longuement. Nous avons déjà eu cette discussion et je t'ai déjà dit pourquoi il me paraissait impossible de dire à la fois oui et non au monde – sauf, à nouveau, à revenir à une position kantienne, c'est-à-dire à la conscience commune, qui dit oui à ce qui est bon et non à ce qui est mauvais, en quoi l'on perd évidemment toute l'originalité et tout l'avantage du stoïcisme et du spinozisme. C'est d'ailleurs pour cette raison qu'au final, Épictète déclare de façon assez drôle qu'il n'a jamais rencontré de sa vie un seul sage stoïcien et qu'il doute d'en rencontrer jamais un jour… De la même façon, spinozistes et nietzschéens, tous pourtant partisans de l'*amor fati*,

1. Non seulement dans la première *Critique*, avec la « troisième antinomie », mais plus encore dans l'antinomie du mécanisme et de la finalité telle que l'expose la *Critique de la faculté de juger*.

passent leur temps à critiquer tout le monde et son voisin, comme si la « vision morale du monde » que leur philosophie prétend dénoncer et dépasser, chassée par la porte de la pensée abstraite, ne cessait de revenir par la fenêtre de la vie quotidienne où l'illusion des possibles reprend inévitablement ses droits. Là encore, je ne vois pas ce que l'on gagne par rapport au point de vue kantien, puisque tout se passe comme s'il devait sans cesse se réintroduire dans des philosophies qui se sont pourtant construites tout entières pour en éliminer par avance jusqu'à la possibilité même. En d'autres termes, le kantisme rend compte des difficultés du spinozisme, il est conscient des contradictions qui ont lieu entre le point de vue de la théorie, qui veut le déterminisme, et celui de la morale, qui exige la liberté, mais l'inverse n'est pas vrai : le dogmatisme reste aveugle aux contradictions qui le traversent à son insu.

Mais là est, tu le sais, le côté sans doute irréductible de notre discussion, ce qui la rend sans fin possible. Pour essayer cependant de rapprocher les horizons, je te proposerai seulement l'idée suivante.

Ma conviction – mais elle est assez récente et je te la dois sans aucun doute –, c'est que Spinoza et Kant traduisent tous deux des morceaux de vérité, qu'il est vain, totalement vain, de vouloir élever de manière unilatérale l'un des deux points de vue à l'universel, comme s'il pouvait anéantir l'autre. Au reste, si l'un des deux « avait raison » de manière indiscutable et certaine, cela se saurait depuis le temps. Et je ne connais personne, je dis bien personne, qui ne soit tout à la fois spinoziste et kantien. Comme Épictète, je n'ai jamais rencontré un vrai stoïcien, ni d'ailleurs un vrai spinoziste, quelqu'un qui soit réellement capable de se passer du point de vue du libre arbitre, qui ne cède jamais à l'illusion des possibles ; et, pour la réciprocité, je n'ai jamais non plus rencontré de kantien qui ne soit prêt à confesser qu'il est plus heureux dans les moments de grâce et de réconciliation avec le monde que dans ceux où il se sent « responsable » de mener quelque lutte contre lui au nom de la volonté et de l'idéal.

Voilà pourquoi j'essaie, à l'aide de la notion de « pensée élargie » – notion qui mérite assurément d'être encore approfondie –, d'envisager une vision de l'histoire de la philosophie qui, à l'écart de l'éclectisme et du dogmatisme, ferait droit à cette complexité réelle que la volonté d'avoir raison me paraît gommer de manière, à proprement parler, « étroite » ou « bornée ».

Pardon d'avoir été si long ! Mais c'est, cela dit sans le moindre artifice rhétorique, parce que la discussion avec toi m'invite à penser plus loin et m'enrichit sans doute plus que toute autre.

III – LES OBJECTIONS ÉMANANT DES THÉOLOGIENS CHRÉTIENS

Voici maintenant, sur l'autre versant de la métaphysique classique que j'évoquais en commençant cette deuxième partie, les principaux extraits de la lettre que Michel Quesnel, recteur de l'Université catholique de Lyon, m'a fait l'amitié de m'adresser. Comme on va voir, ce n'est plus ici la définition de la philosophie qui fait problème, pas davantage l'hypothèse de la liberté humaine, mais plutôt le statut que l'humanisme moderne réserve inévitablement à la foi du croyant quand il y voit malgré tout une forme d'« hétéronomie », de dépendance radicale de l'homme à l'égard du divin. Mais en outre, comme dans le matérialisme, c'est aussi la question de la fondation ultime des valeurs, ou plutôt celle de l'absence de fondation que je revendique, qui fait problème aux yeux d'un croyant.

*

Sur les conseils d'un ami, j'ai lu votre livre. J'ai passé à vous lire des moments plus qu'agréables et enrichissants. […] Je me permets cependant de faire sur votre ouvrage deux séries de remarques […] :

Dans vos pages d'introduction, il me semble que vous accordez trop peu à la rationalité croyante, telle que la pratiquent au moins les théologiens et les chrétiens cultivés. Le doute fait partie de la démarche de la foi, malgré ce que vous écrivez ; je ne connais pas de théologien qui dirait autre chose. Et votre propos me semble bien désinvolte lorsque, dans votre note de la page 26, vous balayez la rationalité exégétique et théologique d'un revers de main. Il n'est pas légitime de mettre en confrontation une réflexion philosophique élaborée, telle que celle que vous proposez, et « les visions populaires de la religion ». Pour mettre en débat deux types d'attitudes, encore faut-il les illustrer par des considérations de même niveau.

Dans ma seconde série de réflexions, j'engage le débat avec vous autrement, non plus pour exprimer un désaccord, mais pour poser une question. Votre chapitre 6, « Après la déconstruction, la philosophie contemporaine », est particulièrement intéressant. Il tente d'ouvrir une voie nouvelle après le soupçon nietzschéen. C'est là que vous êtes conduit à exprimer, avec beaucoup de clarté et d'honnêteté, vos propres propositions, dont l'un des points d'appui est, me semble-t-il, la notion de transcendance immanente.

Mais le croyant que je suis vous interroge alors : n'êtes-vous pas conduit à sortir de la rationalité dont vous avez fait profession depuis le début de l'ouvrage en posant ici un postulat d'où il découle un programme philosophique qui n'est pas très éloigné de l'attitude croyante ? C'est vous-même, d'ailleurs, qui utilisez le verbe « postuler » dans votre texte. Cela ne débouche pas sur une foi, certes, et je me garderais bien de chercher à vous « récupérer » dans les filets de la croyance. Il me semble cependant que la nécessité devant laquelle vous vous trouvez, comme tout humain, de faire des choix autres que rationnels – plus loin, vous nommez le « cœur » – déconstruit pour une part l'opposition que vous faites jouer dans vos pages d'introduction entre le philosophique et le religieux…

*

Dans un autre style, mais qui recoupe sur bien des points quant au fond les propos du recteur de Lyon, voici les objections qu'Hippolyte Simon, évêque de Clermont-Ferrand, a bien voulu m'adresser sous forme d'un commentaire critique[1] qui vaut tout autant pour mon précédent livre, *Qu'est-ce qu'une vie réussie ?* que pour *Apprendre à vivre.* Je le remercie chaleureusement du temps qu'il a pris à me lire ainsi que de l'autorisation qu'il me donne de citer de larges extraits afin de mieux lui apporter quelques éléments de réponse dont j'espère qu'ils se prolongeront dans un nouveau dialogue.

---

1. Aujourd'hui publié dans les « Mélanges » offerts à Jean Foubert (Centre d'études théologiques de Caen, juin 2003) sous le titre : « La référence à saint Augustin dans le livre de Luc Ferry : *Qu'est-ce qu'une vie réussie ?* »

*

[...]

Le premier mérite de cet ouvrage est [...] de nous replacer devant la question décisive de toute existence : « Qu'est-ce qu'une vie réussie ? » À rebours de toutes les prétentions au « savoir absolu » qui ont tenté, finalement en vain, de masquer l'angoisse de mort qui taraude le cœur de chaque être humain, voici un philosophe qui ne cherche pas à tricher. Il reconnaît d'entrée de jeu qu'aucune construction philosophique ne saurait nous dispenser d'affronter l'énigme de notre propre mort, et, peut-être plus poignante encore, celle de la mort de nos proches [...]. En d'autres termes, Luc Ferry nous invite à entrer en philosophie, non pas pour surplomber le réel ou nous en abstraire, mais pour accéder, si possible, à cette expérience qui, seule, peut justifier une existence : la rencontre entre des singularités irremplaçables : « Ce qui fait qu'un être est aimable, ce qui donne le sentiment de pouvoir le choisir entre tous et de continuer à l'aimer quand bien même la maladie l'aurait défiguré, c'est bien sûr ce qui le rend irremplaçable, tel et non autre. Ce que l'on aime en lui (et qu'il aime en nous le cas échéant) et que par conséquent nous devons chercher à développer pour autrui comme en soi, ce n'est ni la particularité pure ni les qualités abstraites (l'universel), mais la singularité qui le distingue et le fait à nul autre pareil. À celui ou celle qu'on aime, on peut dire affectueusement, "merci d'exister", mais aussi bien, avec Montaigne : "parce que c'était lui, parce que c'était moi", et nullement, "parce qu'il était beau, fort, intelligent ou courageux" … »

Le second mérite de ce livre, à mes yeux, et de nous proposer un exposé très honnête de l'expérience chrétienne. Alors que, depuis des lustres, la foi chrétienne a été très souvent présentée comme une illusion ou un alibi, elle nous est ici présentée pour elle-même. Rompant avec plus de deux siècles d'efforts de la pensée occidentale pour déconstruire la doctrine chrétienne du salut, Luc Ferry nous oblige à repenser, à la suite de Marcel Gauchet, notre rapport à l'expérience religieuse. […] Il est impossible ici de résumer les pages magnifiques consacrées à la manière dont Augustin dépasse ce qui pourrait sembler une contradiction : l'amour de Dieu pensé comme incompatible avec l'amour des créatures. Je ne peux qu'y renvoyer les lecteurs. Au terme d'une étude très fouillée, Luc Ferry conclut de cette manière : « À cet égard, la réponse chrétienne, si l'on y croit du moins, est assurément la plus "performante" d'entre toutes : si l'amour et même l'attachement ne sont pas exclus dès lors qu'ils portent sur le divin comme tel – et c'est là, nous l'avons vu, ce qu'admettent explicitement tant Pascal qu'Augustin –, si les êtres singuliers, non le prochain mais les proches eux-mêmes, sont partie intégrante du divin en tant qu'ils sont sauvés par Dieu et appelés à une résurrection elle-même singulière, la sotériologie chrétienne apparaît comme la seule qui nous permette de dépasser non seulement la peur de la mort, mais bien la mort elle-même. Le faisant de façon singulière, et non point anonyme ou abstraite, elle seule apparaît comme proposant aux hommes la bonne nouvelle d'une victoire enfin réellement accomplie de l'immortalité personnelle sur notre condition de mortels : "Tel est donc l'entier rassasiement des esprits : connaître pieusement est parfaitement par qui l'on est conduit à la vérité, de quelle vérité l'on jouit complètement, par quoi l'on est rattaché à la mesure suprême"... »

Naturellement, la réserve « si l'on y croit du moins » est ici fondamentale. Mais elle est parfaitement cohérente avec la phrase où elle s'insère. Elle confirme bien le primat de la singularité. En effet, la foi chrétienne ne respecterait pas la singularité qu'elle proclame, si elle n'admettait pas que la foi relève d'un acte éminemment personnel et qu'elle ne peut jamais être imposée à la conscience. Il n'est donc pas question, ici, dans mon esprit, d'entamer une discussion sur ce point. Je respecte infiniment l'affirmation de l'auteur lorsqu'il dit qu'il ne se reconnaît pas dans la foi chrétienne.

En un sens, la discussion pourrait s'arrêter ici. En se tenant respectueusement au bord de ce qui fait la singularité de chacune de nos consciences.

Pour autant, il me semble qu'il n'est pas contradictoire avec cette exigence de respect d'ouvrir un autre débat. En effet, à peine la conclusion que je viens de citer est-elle énoncée, voici que Luc Ferry établit aussitôt une opposition radicale entre le programme d'Augustin et la philosophie. « [...] Voici, selon Augustin, l'équation de la vie bienheu-

reuse accomplie. Le programme, on le voit, s'oppose en son principe même à celui de la philosophie. » Ce n'est pas manquer aux exigences du dialogue mais bien y répondre que de dire : « Justement, non, je ne vois pas. » Pour ma part je ne vois pas de contradiction entre le programme d'Augustin et le principe même de la philosophie. Sans pouvoir développer ici tous les arguments qui seraient nécessaires, il me semble que cette contradiction n'est qu'apparente et repose sur des postulats (pour autant que ce terme soit ici adéquat) qu'il convient de mettre en question.

Le point de désaccord est ainsi énoncé : « Mais, sous des catégories communes, c'est la différence, voire l'opposition qui prévaut : loin que la religion nous incite à nous sauver par nous-mêmes, elle recommande l'humilité du salut par un Autre dont nous dépendons du tout au tout. » C'est précisément ce qu'il faut examiner : y a-t-il contradiction entre l'acceptation que le salut nous vienne d'un Autre que nous-mêmes et le fait d'entrer en philosophie ?

Pour répondre à cette interrogation, je me contenterai de reprendre ici l'analyse de trois problèmes qui me semblent mal posés. Ou, si l'on préfère une image montagnarde, de trois problématiques qui me semblent constituer autant de « ponts de neige » philosophiques.

Le premier de ces postulats nous conduirait à relire le livre de la Genèse. En effet, Luc Ferry semble admettre ici comme une évidence que toute question introduit un doute et que le doute est forcément l'« œuvre du diable ». C'est une évidence largement partagée. Je la retrouve régulièrement dans les lettres des jeunes qui demandent la confirmation. Mais qui a dit que toute question venait du diable ? Si l'on regarde attentivement le texte de la Genèse, il apparaît que la question du serpent à la femme instille moins le doute que le mensonge, ce qui est évidemment très différent. En effet, là où le Créateur a posé l'interdit en ces termes : « Tu peux manger de tous les arbres du jardin. Mais de l'arbre de la connaissance du bien et du mal tu ne mangeras pas, car, le jour où tu en mangeras, tu mourras », le tentateur déforme l'interdit et l'énonce ainsi : « Alors, Dieu a dit : "Vous ne mangerez pas de tous les arbres du jardin ?" »

Devant ce dialogue, et cette déformation de l'interdit, le reproche que l'on pourrait faire à Ève serait bien de n'avoir pas assez douté… de la parole du serpent ! Quitte à douter, pourquoi ne pas redoubler le doute sur le doute ?

Il n'est donc pas vrai que toute question soit diabolique, il faut lutter contre ce préjugé tenace. Il convient d'en persuader nos jeunes contemporains, trop enclins, à mes yeux, à accepter sans esprit critique toutes les fausses évidences qui règnent dans l'air du temps. On me pardonnera d'énoncer ma question de façon un peu prosaïque : pourquoi diable, si j'ose dire ! le Créateur nous aurait-il donné des méninges si c'était pour nous interdire de nous en servir ? Pour le dire autrement, je reste convaincu que c'est moins le fait de poser des questions qui serait défendu que le fait de ne pas entendre les réponses. À cet égard, la lecture d'Augustin montre bien qu'il est sain de se poser des questions.

De la même manière, ce n'est pas le doute qui est diabolique, mais bien plutôt le fait de ne pas douter de ses propres certitudes. Autrement dit encore, le doute n'est pas le contraire de la foi, il en serait plutôt la condition. En effet, puisque le mot foi vient du verbe se fier, il n'est pas interdit, avant de donner sa confiance, de s'interroger pour savoir si nous avons raison de faire confiance. L'Évangile est rempli de scènes où le Christ pose des questions à ses interlocuteurs pour les inviter à réfléchir. Et nous voyons qu'il n'interdit pas les questions, au contraire, mais qu'il stigmatise bien plutôt ceux qui s'enferment dans leur « certitude ». La confiance à laquelle sont invités les disciples du Christ n'est pas aveugle. Mais le difficile, dans cette affaire, est peut-être d'admettre que l'on peut d'abord douter de soi-même !

Un second point mérite d'être examiné. À de nombreuses reprises, Luc Ferry semble établir comme une identité entre le fait de penser par soi-même et le fait de se sauver par soi-même. Mais y a-t-il identité entre ces deux ordres de réalité ? Réciproquement, y aurait-il donc contradiction entre le fait de faire confiance à un Autre et de penser par soi-même ? […] Il me semble qu'il faut interroger cette problématique. Tout effort pour penser par soi-même est-il forcément de l'orgueil ? Y a-t-il incompatibilité entre le fait d'accepter une nouvelle apportée par un autre et le fait de soumettre cette nouvelle à un réel examen critique ? Il me paraît qu'il y a là un raccourci qui n'est qu'une pseudo-évidence. Et celle-ci ne résiste pas à l'expérience. Comme l'a montré Augustin, dans tous les actes de ma vie quotidienne, je fais confiance à d'autres, sans pour autant me départir de mon discernement. Il ne faut pas confondre penser par soi-même et être soi-même l'auteur de toutes les informations sur lesquelles on réfléchit. Dans un autre ordre d'expérience, lorsque je fais confiance à un guide pour aller au mont Blanc, je ne renonce pas à penser par moi-même. Ma confiance n'est pas aveugle. Mais je ne prétends pas, c'est vrai, en savoir plus que mon guide.

[...]

C'est justement [la] conception de la transcendance qu'il faut interroger. Lorsqu'il décrit le passage de la cosmologie païenne, notamment de la cosmologie grecque, à la conception chrétienne d'un univers créé par un Dieu personnel et transcendant, Luc Ferry écrit ceci : « Avec la représentation du divin, non plus immanent à l'ordre du monde, mais incarné dans la figure d'un Dieu personnel placé à l'origine de l'univers et donc situé hors de lui, c'est, semble-t-il, au nom d'une tout autre conception de la transcendance que va se décider la question de la vie bonne. Il ne s'agit plus de trouver son lieu naturel dans la structure organique du réel, mais de se placer sous le regard bienveillant d'un autre, le Très Haut, et de se conformer aux lois dont, par pur amour gratuit, il a fait don aux hommes. Pourtant, malgré des différences radicales, la nature de la réponse demeure en son fond analogue : même si la foi prend la place de la connaissance, et la révélation celle de la raison, il s'agit toujours, dans un premier temps, de se frayer un accès à un principe extérieur et supérieur à l'humanité, puis, en vertu de cette conversion même, de se conformer pratiquement aux vérités divines qui en découlent. »

On aura noté les termes : « Supérieur et extérieur à l'humanité. » Mais ces adjectifs rendent-ils compte de l'expérience chrétienne telle que saint Augustin nous la présente ? Je n'en suis pas sûr. Chacun connaît l'expression : « Dieu plus intime à moi-même que moi-même. » Autrement dit, si Dieu est créateur de l'être humain, s'il est véritablement transcendant, les catégories d'intérieur et d'extérieur sont-elles encore pertinentes ? Pour qu'il y ait supériorité et extériorité, il faut qu'il y ait comparaison possible entre deux êtres d'une même nature. Si les deux êtres ne sont pas de même nature, toute comparaison, surtout si elle est empruntée à l'expérience spatiale, perd sa pertinence. Il n'y a pas plus de sens à dire que Dieu est extérieur à moi qu'à dire qu'il est plus intérieur à moi-même que moi-même. Ce que je sais, c'est que je ne suis pas l'origine de moi-même. Je me découvre donné à moi-même. Et je reconnais en Dieu celui qui est à la source, à la racine, au centre de gravité de mon existence […].

Il est donc permis de poser la question à Luc Ferry : dans sa volonté de mettre en perspective historique les dépassements successifs opérés par la pensée occidentale, n'est-il pas laissé de côté toute une part de l'expérience chrétienne exposée par Augustin ?

[…] Il me paraît abusif d'écrire : « Mais il y a plus : entendu en ce sens, le religieux n'implique pas simplement l'hétéronomie, la conviction que la loi vient d'ailleurs que de l'humanité elle-même, mais la dénégation de l'autonomie, c'est-à-dire le fait que les êtres humains refusent de s'attribuer à eux-mêmes l'organisation sociale, l'histoire, la fabrication des lois, et que, à travers ce déni de l'humanité comme origine véritable du politique, ils extra-posent les principes fondateurs du lien politique dans une transcendance et une dépendance radicales. » Si telle est la définition du religieux, alors il faut dire, avec Marcel Gauchet, que le christianisme est précisément l'expérience spirituelle qui nous sort de ce religieux. Sinon, il est impossible de rendre compte du fait que l'autonomie des individus et la démocratie soient apparues, précisément, dans la sphère d'influence de l'expérience chrétienne. Une fois de plus, nous retrouvons la question de Maurice Clavel : « Homme qui t'a fait homme ? »

[…]

Hippolyte SIMON

*

Comme on voit, mes deux interlocuteurs se rejoignent au moins sur deux points : la question du doute, qui à tous deux paraît inséparable de la foi ; celle de l'autonomie et de la liberté de pensée qui ne leur semblent évidemment pas contraires à l'engagement chrétien. C'est donc sur ces deux points que je ferai porter l'essentiel des remarques que je leur adresse en guise d'éléments de réponse.

« Il n'est donc pas vrai que toute question soit diabolique » : assurément… Mais qui peut sérieusement penser que je tiendrais tout questionnement pour diabolique aux yeux des croyants ? Où trouver dans mon livre que « le Créateur nous aurait donné des méninges pour ne pas nous en servir » ? Cela dit, les glissements successifs au fil desquels mon second interlocuteur chrétien parvient à me prêter cette opinion me paraissent au plus haut point significatifs de l'embarras qui saisit le croyant face à la question, en effet, redoutable, du doute. Pardonnez-moi, cher Hippolyte Simon, tout en vous remerciant encore pour l'exceptionnelle qualité de votre lecture qui me touche réellement et m'incite à poursuivre notre dialogue, de relever cependant ces glissements du raisonnement avant de parvenir à une vraie question que j'aimerais rediscuter avec vous.

Premier glissement : on passe, comme si c'était la même chose, de douter à s'interroger – ce qui, cependant, est tout différent. Lorsque ma fille me demande ce que c'est que la philosophie, en quoi consiste mon métier, comment on écrit un livre, etc., elle s'interroge et m'interroge, mais je ne vois pas en quoi elle doute pour autant. Se poser et poser des questions n'est pas douter, *car si vous y réfléchissez soigneusement, vous vous apercevrez que le doute porte toujours sur les réponses, pas sur les questions.* Le Christ n'a bien évidemment jamais demandé à l'homme de se priver de son intelligence, encore moins de cesser de s'interroger. Toutes ses paraboles en témoignent, qui sont manifestement destinées à « faire réfléchir », voire à choquer, à déranger, à mettre en branle notre intelligence interrogative (qu'a-t-il voulu dire au juste ?) et interprétative (quel est le sens de son message ?). Comme je l'explique dans mon livre, s'il y a, malgré la prééminence de la foi sur la connaissance rationnelle, une philosophie chrétienne, donc un usage éminent de la raison au sein du christianisme, c'est justement pour cela : pour déchiffrer les Écritures, mais aussi la nature comme œuvre de Dieu, cette création qui doit en porter la trace et le témoignage. Voilà d'ailleurs pourquoi Jean-Paul II, dans sa dernière encyclique, *Fides et ratio*, n'hésite pas à encourager fortement notre usage de la raison, convaincu, avec Thomas d'Aquin, qu'il ne saurait y avoir de contradiction entre les vérités scientifiques et celle de la Révélation. On connaît d'ailleurs l'adage : un peu de science éloigne de Dieu, beaucoup nous en rapproche…

Il faut donc opérer un second glissement pour dissimuler le premier : on passe subrepticement de l'être qui tente d'instiller le doute dans l'esprit d'un autre pour le séparer de Dieu (le serpent dans le récit de la Genèse, le diable lui-même dans celui des tentations du Christ), à l'être humain qui doute *par lui-même, sans intervention extérieure, par esprit d'intelligence et de probité,* de ses certitudes dogmatiques. Mais à qui fera-t-on croire que les deux attitudes, l'une proprement « diabolique », je le maintiens, l'autre signe d'un esprit d'ouverture et d'honnêteté, sont à mettre sur le même plan ?

Ces glissements ne me paraissent pas nécessaires pour parvenir à l'idée que le doute, loin d'être en quoi que ce soit diabolique, serait consubstantiel à la foi. Mais, sur ce dernier point non plus, je ne puis tout à fait vous suivre.

Bien entendu, il est une argumentation connue qui plaide en faveur du lien entre doute et foi. Elle procède par l'absurde ou *a contrario* : si l'existence de Dieu était, au sens propre du terme et de manière absolument incontestable démontrée – admettons-le par hypothèse pour la suite de l'argument –, alors, par définition même, la foi disparaîtrait. Nous ne *croirions* plus en Dieu puisque nous *saurions* de manière indubitable qu'il existe. Là où la connaissance est certaine, là s'évanouit *ipso facto* la croyance. D'où la réciproque qui semble dès lors assurée et forte : il n'y a foi que parce qu'il y a doute !

Pardon, cependant, de vous le dire aussi franchement, mais cette franchise est, je crois, ce qui fait tout le prix de notre dialogue, cette argumentation n'est pas du tout chrétienne. Elle n'est que rationaliste. Car, dans l'optique chrétienne, la croyance ne s'oppose pas à la certitude, comme le non-démontré au démontré. Elle est une certitude d'un *autre ordre* que les certitudes de raison, une certitude, si j'ose dire, aussi certaine que 2 + 2 = 4, plus certaine, même, car fondatrice. Simplement, il s'agit d'une certitude qui ne passe pas par le détour de la démonstration rationnelle. Dire que nous doutons parce que Dieu n'est pas démontré, que c'est pour cela, en raison de ce doute, que nous sommes en quelque sorte obligés d'en passer par la foi, c'est réduire cette dernière à n'occuper qu'une place secondaire, à n'exister que par manque, par défaut de rationalité – et cela n'est pas du tout conforme à l'enseignement du Christ.

Le *Catéchisme de l'Église catholique* a le mérite, pour ne pas dire le courage, de l'assumer pleinement : « Le motif de croire n'est pas le fait que les vérités révélées apparaissent comme vraies et intelligibles à notre raison naturelle. Nous croyons "à cause de l'autorité de Dieu même qui révèle et qui ne peut ni se tromper ni nous tromper"... La foi est certaine, plus certaine même que toute connaissance humaine, parce qu'elle se fonde sur la Parole même de Dieu, qui ne peut pas mentir. Certes, les vérités révélées peuvent paraître obscures à la raison et à l'expérience humaines, mais "la certitude que donne la lumière divine est plus grande que celle que donne la lumière de la raison naturelle" » (§§ 156/157). On dira peut-être que le catéchisme n'est pas une référence, qu'il appartient à un genre littéraire peu porté sur la nuance et que la discussion philosophique ne lui est guère permise. Sans doute, mais Pascal, qui n'était pourtant pas du genre bigot ni enclin à la niaiserie, ne cesse de dire la même chose : si le moi est haïssable, c'est parce que, prétendant toujours avoir le dessus, il fait oublier l'essentiel aux humains, à savoir que « ce n'est point en vous-même que vous trouverez ni la vérité ni le bien[1] ». Toute vérité et toute justice viennent de Dieu, non des hommes, et leur principale vertu, à cet égard, réside dans l'humilité.

Pour me résumer : oui, l'être humain non seulement a le droit mais le devoir de se poser sans cesse des questions et de faire usage au maximum de sa raison. Oui, le questionnement métaphysique est même le propre de l'homme. Mais le doute n'est pas identique au questionnement. Avec lui, on entre dans une sphère où l'humain est en danger et même, à proprement parler, en danger de mort, car le doute, s'il l'emportait sur la foi, le conduirait à être séparé de Dieu, donc de la Vie. Et voilà pourquoi celui qui tente de nous faire douter ne peut être qu'un méchant, le diable lui-même, dont c'est là, en bonne théologie chrétienne, l'œuvre principale – une œuvre de mort, bien sûr, car de séparation d'avec la source de toute Vie. Le *diabolos* est celui qui sépare, celui qui sépare l'homme de Dieu grâce au doute, et c'est seulement cette séparation première, matrice de toutes les autres, qui conduit

1. *Pensées*, 430.

l'homme séparé, au sens propre désolé, à entrer aussi, comme après coup, en conflit avec les autres. Les haines interhumaines ne sont que le produit secondaire de cette séparation originelle dont le doute est le symptôme et le diable l'agent. Et les tentations que le diable exerce sur le Christ comme sur nous n'ont rien à voir avec je ne sais quelle invitation à tel ou tel péché particulier. La gourmandise et le sexe n'intéressent pas beaucoup le diable, mais isoler un être humain de Dieu, oui, cela en vaut la peine, car cela le vouera à une mort éternelle et c'est par le doute, assurément, qu'on obtiendra le mieux cet effet.

Et cela n'a rien à voir, mais absolument rien, avec le fait qu'il serait (pourquoi ?) interdit aux hommes de se poser des questions ni de faire usage de leur raison…

Dans le même sens, car les deux problèmes sont directement liés, mes interlocuteurs chrétiens me font une seconde objection : ils me reprochent, au fond, de faire comme si la réflexion religieuse, guidée qu'elle serait tout entière par la foi, excluait l'idéal de « penser par soi-même ». C'est là une critique qui m'a été très souvent faite par les chrétiens qui ne comprennent pas au nom de quoi je leur dénierais le droit à l'« autonomie de pensée » – comme si la philosophie seule pouvait parvenir à l'idéal du « penser par soi-même », tandis que le malheureux croyant serait voué à l'hétéronomie, toujours soumis par sa foi à l'autorité d'un « Autre » – dont le magistère de l'Église ne serait qu'un symbole sur cette terre.

Ce thème est d'une grande profondeur : il touche aussi, au passage, à un autre point essentiel, à la conception même de la transcendance d'un Dieu que je présente, en effet, comme « extérieur et supérieur » à l'homme. Bien plus, l'objection est d'autant plus sérieuse qu'elle se renverse contre moi : n'ai-je pas, moi aussi, la même difficulté à résoudre puisque je ne cesse à mon tour de reconnaître le mystère de l'origine des valeurs – vérité, justice, beauté et amour ? Parler de mystère, n'est-ce pas, justement, faire droit à l'hétéronomie, ce qui, à la limite, serait encore plus gênant pour un philosophe rationaliste que pour un croyant ? Il s'agit là d'un débat de fond, que je remercie mes interlocuteurs d'introduire avec talent et rigueur. J'aimerais prendre maintenant le temps de leur répondre.

Retour sur la question :
autonomie philosophique/hétéronomie religieuse ?

Que veut-on dire, d'abord, quand on parle d'hétéronomie ? Dans un premier temps du moins, la réponse peut paraître aisée : le terme désigne tout simplement le fait que les grandes religions s'accordent pour faire dépendre l'humanité – son organisation, sa vie, son salut – d'un principe radicalement extérieur et supérieur à elle. Dans l'existence temporelle, cette transcendance du divin se manifeste par un certain rapport à la loi, dans la conviction que son principe échappe radicalement aux individus qui la reçoivent et en dépendent jusque dans leur vie quotidienne. C'est dans cette perspective que Marcel Gauchet a pu argumenter la thèse selon laquelle le religieux « le plus religieux » était à l'origine de l'histoire, qu'il se rencontrait pour ainsi dire à l'état chimiquement pur dans les « sociétés sauvages » où l'extériorité des sources fondatrices de l'organisation sociale est la plus grande. Mais il y a plus : entendu en ce sens, le religieux n'implique pas simplement l'*hétéronomie*, la conviction que la loi vient d'ailleurs que de l'humanité elle-même, mais la *dénégation de l'autonomie*, c'est-à-dire le fait que les êtres humains refusent de s'attribuer à eux-mêmes l'organisation sociale, l'histoire, la fabrication des lois, et que, à travers ce déni de l'humanité comme origine véritable du politique, ils extra-posent les principes fondateurs du lien politique dans une transcendance et une dépendance radicales.

Et, de fait, il faut reconnaître là encore, au moins dans un premier temps, que cette structure d'hétéronomie traditionnelle constitue à bien des égards l'un des traits dominants du religieux – lequel continue pour cette raison à s'imposer en quelque façon sous les dehors de l'argument d'autorité. Plutôt que de dénier cette réalité, parce qu'elle pourrait paraître « dogmatique » et heurter la sensibilité démocratique où nous baignons en permanence, il vaut mieux admettre, avec Pascal, que je citais tout à l'heure, que *ce n'est pas en soi-même qu'on trouve la vérité.* Je n'y insiste pas tant le thème de la dépendance de l'homme à l'égard de Dieu me semble sur ce point patent. Encore faut-il préciser qu'à cette première autorité, qui vient directement de l'Être suprême, s'ajoute celle, indirecte, de l'Église dont les fidèles sont priés d'admettre qu'elle détient le monopole de la légitimité dans l'interprétation du contenu de la Révélation, y compris bien entendu sur le plan moral, comme le précise le même passage du *Catéchisme* : « Le Magistère de l'Église engage pleinement l'autorité reçue du Christ quand il définit des dogmes, c'est-à-dire quand il propose, sous une forme obligeant le peuple chrétien à une adhésion irrévocable de foi, des vérités contenues dans la Révélation divine ou bien quand il propose de manière définitive des vérités ayant avec celles-là un lien nécessaire » (ce dernier ajout visant bien sûr les recommandations morales absentes des Évangiles mais adaptées par l'Église au monde d'aujourd'hui). On ne saurait être plus clair : le Magistère ne nie pas la liberté personnelle, ni le rôle de la conscience dans le « choix » de la foi. Mais cette dernière n'est jamais qu'une « réponse » face à un don, une réaction seconde par rapport à une Révélation qui la précède.

Or c'est bien sûr ce rapport à une « autorité révélée », et qui plus est interprétée par d'autres jusque dans ses conséquences parfois les plus lointaines, qui est spontanément rejeté par l'idéologie démocratique éprise d'autonomie. Depuis le XVIIe siècle, un conflit tantôt ouvert, tantôt larvé s'est ainsi instauré entre les religions révélées et l'exigence moderne, issue du cartésianisme notamment, selon laquelle il conviendrait de mettre en doute les préjugés hérités du passé, de rejeter radicalement toute espèce d'argument d'autorité. « Penser par soi même » : telle fut l'exigence ultime, l'impératif fondamental, non négociable qui conduisit progressivement tout un chacun à vouloir soumettre à l'examen critique les vérités les mieux établies par la tradition, à commencer par celles de la Révélation.

Cela signifie-t-il, comme certains ont feint de le croire[1], qu'aux yeux des démocrates, la religion, vouée tout entière à l'hétéronomie et à la tradition, appartiendrait désormais au monde ancien, à l'univers où l'homme n'a pas encore pour ainsi dire accédé à lui-même, tandis que les Modernes, hérauts de l'autonomie démocratique, seraient enfin parfaitement libres, conscients, lucides et autonomes ? Évidemment non. Une telle lecture déforme – sans nul doute de manière intentionnelle – le sens de l'analyse qu'on vient d'évoquer. En la caricaturant pour les besoins de sa cause, elle s'égare et cherche à égarer tant sur la notion d'hétéronomie que sur celle d'autonomie.

Nul ne songe, en effet, à nier que la foi, précisément parce qu'elle se veut réponse à un appel, puisse être vécue par le croyant comme un « choix libre »,

---

1. *Cf.*, par exemple, Paul Valadier, *Un christianisme d'avenir,* Seuil, Paris, p. 130 *et sq.* Contrairement à celles de mes deux interlocuteurs d'aujourd'hui, les critiques que m'adresse Valadier sont si agressives dans la forme et si indigentes quant au fond qu'elles découragent quelque peu la discussion – d'autant que l'indigeste « coupé/collé » laborieusement concocté par l'auteur à partir des travaux de Hanna Arendt et de Charles Taylor ne donne guère envie d'aller plus loin...

comme un acte d'autonomie – ce qui n'exclut en rien qu'elle continue de renvoyer à l'idée d'une dépendance radicale, à une hétéronomie originaire (en l'occurrence, une « théo-nomie » : une fondation de la loi en Dieu). La réciproque vaut bien entendu du côté des Modernes : la prétention cartésienne à « penser par soi-même », loin d'annuler toute forme d'hétéronomie, n'a fait que mettre davantage en relief l'existence des nombreux déterminismes, psychiques, historiques ou biologiques, qui continuent de peser tout autant qu'auparavant sur des individus qui ne maîtrisent ni leur naissance, ni leur mort, ni même sans doute l'essentiel du cours de leur vie.

Voici donc à mes yeux la vraie question, si l'on veut bien quitter la polémique, toujours stérile : *comment comprendre ce double paradoxe d'une hétéronomie radicale qui n'exclut pas l'autonomie du choix religieux, et d'un idéal d'autonomie qui ne met nullement fin à la réalité multiforme de l'hétéronomie ?*

À la vérité, on peut fort bien concéder que la religion tend d'elle-même (et non selon un mauvais procès d'intention qu'on lui ferait de l'extérieur) à affirmer que la foi est une grâce, c'est-à-dire un don gratuit d'un être réel dont nous dépendons radicalement et auquel nous devons obéissance. L'hétéronomie ne signifie pas que la foi a été extorquée de force, par des arguments d'autorité imposés du dehors. Le christianisme est au contraire par excellence la religion qui laisse l'homme libre de son conseil, qui lui reconnaît la légitimité de son *forum* intérieur et qui n'attribue de mérite à la foi que parce qu'elle relève, du moins pour une part, d'un libre choix. Voilà d'ailleurs pourquoi le pape Jean-Paul II, tout en reconnaissant l'hétéronomie radicale de la vérité, n'en tente pas moins de l'accorder à la liberté de conscience. Selon son encyclique consacrée à la splendeur de la vérité, la conscience et la vérité doivent être réconciliées. Comme le disait déjà Vatican II : « Dieu a voulu laisser l'homme à son conseil. » Il ne lui a pas ôté la liberté, bien au contraire. Simplement, comme il a aussi créé l'homme à son image, c'est en suivant dans ses actions les principes de la vérité divine que l'être humain accède pleinement à lui-même.

Dans le langage de la théologie, on parlera de « théonomie participée ». En clair : la loi morale, certes, vient de Dieu et non des hommes (théonomie), mais cela n'exclut pas leur autonomie, puisque l'être humain, participant en quelque façon du divin, n'accède à la pleine liberté que par l'obéissance à la loi qui lui est prescrite. Comme le dit encore *Veritatis Splendor* : « L'autonomie morale authentique de l'homme ne signifie nullement qu'il refuse, mais bien qu'il accueille la loi morale, le commandement de Dieu [...]. En réalité, si l'hétéronomie de la morale signifiait la négation de l'autodétermination de l'homme ou l'imposition de normes extérieures à son bien, elle serait en contradiction avec la révélation de l'Alliance et de l'Incarnation rédemptrice. » Ainsi donc, la liberté de conscience n'exclut pas l'hétéronomie radicale de la Vérité, la transcendance absolue, mais il n'empêche, Jean-Paul II a raison de son point de vue, la foi est un don, il y a une vérité révélée et splendide, et elle a bien pour origine un Être suprême, un fondement réel.

Qu'à l'inverse, l'idéologie démocratique possède une tendance à magnifier l'idéal d'autonomie n'est pas douteux. Mais c'est là, justement, un travers que je n'ai cessé de dénoncer comme relevant d'une logique qui est bien davantage celle *du matérialisme que de l'humanisme*, c'est-à-dire d'une pensée qui, à l'instar, par exemple, de la sociobiologie contemporaine, professe l'immanence radicale des valeurs à la réalité matérielle de l'être humain. Pour le matérialiste, l'homme ne découvre pas les valeurs, il les invente, il en est le créateur, le fondement ultime, même s'il ne s'en rend pas compte et croit, de façon fétichiste, que ce qu'il a posé ne vient pas de lui. La critique du fétichisme est le moment clef de l'attitude moderne du soupçon, de la déconstruction, et ce moment a toujours pour résultat un immanentisme radical : les valeurs sont relatives à l'humain parce que c'est lui – ou du moins quelque chose qui parle en lui – qui les produit.

On pourrait penser qu'à l'inverse du matérialisme, la religion fasse volontiers droit à l'idée de mystère. Ce serait évidemment une erreur : comme le matérialiste, le croyant veut lui aussi une explication complète, un fondement des valeurs tout aussi ultime, voire supérieur encore à celui que le matérialiste peut invoquer. Simplement, il ne le cherche pas dans l'immanence radicale, mais dans la transcendance d'un

Être suprême qui, pour conserver lui-même une part insondable de mystère, n'en fonctionne pas moins comme une cause première de tout ce que nous pouvons percevoir d'inexplicable dans l'ici-bas.

L'idée qu'il pourrait exister une transcendance dans l'immanence à la conscience humaine, une transcendance qui ne serait pas un être ou un fondement, mais un horizon de sens, a donc choqué certains amis chrétiens, qui m'ont accusé d'incohérence : ayant du moins compris que je n'identifiais nullement modernité, autonomie et immanence des valeurs à l'être humain, mais qu'au contraire, l'humanisme auquel je me référais acceptait l'hypothèse d'une transcendance, voire d'un mystère, donc d'une extériorité de ces valeurs par rapport à l'individu, certains ont estimé qu'une telle attitude était doublement contradictoire : pourquoi, d'abord, reprocher au christianisme sa doctrine de l'hétéronomie si c'est pour la faire aussitôt sienne au sein de l'humanisme en y réaménageant une place pour la transcendance ? Comment, ensuite, répondre à la question de l'origine des valeurs communes aux êtres humains, si l'on n'admet pas l'idée d'un fondement réel, en l'occurrence divin ?

Ainsi, dans un article au demeurant fort profond et témoignant d'une réelle honnêteté intellectuelle[1], Damien Le Guay m'adresse l'objection sui-

1. Damien Le Guay, « Un nouveau théologien, Luc Ferry ? », *Communio*, n° 153, janvier-février 2001.

vante : « Quel est donc le statut de cette extériorité acceptée par Ferry ? Car qui dit une “morale extérieure à la nature et à l’histoire” dit une morale qui vient avant la conscience humaine. Or cette antériorité est rejetée avec le théologico-éthique. Dès lors, par un tour de passe-passe théorique, il y aurait une extériorité compatible avec l’homme quand elle est humaniste et une extériorité incompatible quand elle est religieuse ? » On ne peut mieux dire : il y a, en effet, plusieurs conceptions de la transcendance, et selon que vous en faites un fondement réel, un étant suprême, ou au contraire un simple horizon de sens dont on ne saurait rendre raison en termes de fondation ultime, vous sortez ou non des cadres d’un humanisme qui se veut non métaphysique.

Au-delà commence la foi, celle du chrétien comme celle du matérialiste, et c’est en quoi, naturellement, ils adressent l’un et l’autre à l’humanisme de l’homme-dieu, deux critiques parfaitement symétriques : le premier lui concède volontiers son affirmation, contre le matérialisme, d’une transcendance mais il déplore que l’humaniste n’aille pas tout à fait jusqu’au terme d’une logique pourtant si prometteuse. Pourquoi, en effet, s’arrêter en si bon chemin, pourquoi ne pas fonder la transcendance des valeurs en un Dieu qui viendrait enfin la garantir et l’expliquer de façon satisfaisante ? Le matérialiste loue au contraire l’humaniste de n’en avoir rien fait, il communie avec lui, si l’on ose dire, dans l’athéisme, mais regrette à son tour que, là encore, mais pour des raisons inverses, la logique du raisonnement ne soit pas accomplie et reste comme en suspens : si Dieu n'existe pas, pourquoi ne pas supprimer tout à fait l'absurde notion de transcendance, pourquoi ne pas en finir une bonne fois avec elle en posant que toutes les valeurs sont immanentes à la matérialité du réel ?

Réponse : parce que, dans un cas comme dans l'autre, on retombe lourdement dans les illusions des fondations métaphysiques ultimes. La foi, sans doute, n'a rien d'illégitime, mais elle est et doit rester ce qu'elle est : un pari, un postulat, une décision de croire qui n'engage jamais que soi-même. Rien n'interdit bien sûr un tel pari : chacun est pleinement libre de *croire* (car c'est bien une *croyance* qui excède tout raisonnement réellement rationnel), avec le matérialiste, que le réel est éternel, qu'il exclut les possibles en même temps que le libre arbitre ou de penser, avec le chrétien, qu'un Dieu nous a donné les valeurs auxquelles nous adhérons. Mais ce « saut hors de soi » ne peut engager autrui et, à la limite, il n'appartient plus à la philosophie. D'autant que le salut ne vaut que s'il n'est pas fondé sur une illusion et, à tout prendre, mieux vaut, en termes de sagesse, une ambition plus modeste que celle des chrétiens ou des spinozistes, mais enracinée dans le réel et la lucidité, plutôt qu'une promesse grandiose, mais d'évidence liée, à mes yeux, aux illusions ou tout au moins aux « convictions » de la métaphysique classique.

J'ai bien conscience, avec ces quelques remarques, de ne pas épuiser toute la richesse de la discussion que mes deux interlocuteurs chrétiens ont bien voulu ouvrir avec moi. Il ne s'agit que d'éléments de réflexion qui serviront, je l'espère, à de futurs dialogues que j'appelle de mes vœux.

IV – AUTRES OBJECTIONS SUR LES LIMITES DE LA PHILOSOPHIE : LA QUESTION DES TRADITIONS « AUTRES QUE CHRÉTIENNES ET OCCIDENTALES »

Je voudrais, pour conclure, évoquer encore une dernière série d'objections.

Certains, en effet, m'ont reproché de ne pas assez parler des religions autres que chrétiennes, notamment de ne pas faire au judaïsme et à l'islam la place qu'ils mériteraient assurément dans une histoire générale de la pensée. D'autres, plus nombreux encore, ont déploré que je ne fasse pas davantage droit aux sagesses de l'Orient – au bouddhisme, à la philosophie chinoise, indienne...

Je dois dire d'abord que j'accepte totalement ces critiques. Oui, c'est vrai, pour l'essentiel, j'ai voulu écrire une histoire, non de la pensée en général – je crois, malgré l'amour français pour la tradition encyclopédique, que ce serait d'ailleurs tout à fait irréalisable, pour ne pas dire incongru –, mais seulement de la philosophie occidentale. Je n'ai qu'une excuse, à vrai dire, outre, comme je viens de le rappeler, le caractère à mes yeux parfaitement utopique aujourd'hui d'une entreprise encyclopédique, c'est qu'à mon sens, la philosophie ne se confond pas avec l'ensemble de la pensée.

Il existe à l'évidence des formes de pensée tout à fait éminentes, sans doute même beaucoup plus éminentes aux yeux du plus grand nombre que ne l'est la philosophie, mais qui, pour autant, ne se confondent pas avec elle. Les sciences, par exemple, relèvent bien, au sens large, de la pensée, les religions également, certaines formes d'art, de littérature, de croyances de tous ordres aussi. Pour autant, elles n'appartiennent à l'évidence pas au monde de la philosophie tel, du moins, que le « miracle grec » l'a inauguré, et ce pour un motif qui n'est pas à mon sens tout à fait négligeable : c'est qu'en Grèce, aux alentours du VIe siècle avant Jésus-Christ, pour des raisons qui restent sans doute encore en partie mystérieuses mais qui ont certainement partie liée avec la naissance de la démocratie, des êtres humains se sont mis à vouloir « penser par eux-mêmes » la question de la sagesse et du salut. Ils ont entrepris, sans doute pour la première fois dans l'histoire de l'humanité connue jusqu'à ce jour, de délibérer rationnellement, de dialoguer, d'argumenter, bref, de s'affranchir des superstitions, croyances et autres arguments d'autorité qui forment l'ordinaire des pensées préphilosophiques, sans pour autant, comme le font les sciences positives, se limiter à la connaissance d'un secteur particulier et « objectif » du monde. Il s'est agi, dans ce miracle, de penser rationnellement, et non plus religieusement, la sagesse et le salut.

On peut, si l'on y tient, déplorer cette première forme de « laïcisme », mépriser le rationalisme occidental – c'est un travers fréquent des « retours à l'Orient ». On ne peut pas nier qu'il possède une spécificité à nulle autre semblable. Et si j'ai consacré, dans mon livre, un long chapitre à la religion chrétienne, c'est parce qu'elle entretient comme nulle autre un dialogue conflictuel avec cette tradition philosophique grecque. Toutefois, dans *Qu'est-ce qu'une vie réussie ?* notamment, j'ai pris soin de rappeler et d'analyser en détail tout ce que ce dialogue doit au monde arabe et, entre tous, à celui qui fut, sans doute avec Maimonide, le plus grand philosophe de son époque : Averroès. Sans lui, on peut dire sans grand risque de se tromper, que la révolution albertino-thomiste n'aurait pas eu lieu. Sans lui, pas de redécouverte d'Aristote par une Église qui ne serait donc pas ce qu'elle est aujourd'hui. J'aurais rêvé de rencontrer Maimonide et Averroès, ces intellectuels plus philosophes que croyants, qui ont, chacun à leur façon, changé le cours de l'histoire de la philosophie. Mais, paradoxalement, c'est par la voie du christianisme que leur influence – surtout celle d'Averroès – s'est exercée. C'est par elle que la philosophie va être pour des siècles intégrée au projet religieux – ce dont, comme je l'ai montré dans la première partie de ce livre, elle ne se remettra jamais tout à fait. Voilà pourquoi je lui ai consacré un chapitre important.

Pour des raisons différentes, mais analogues, je me suis passionné pour le bouddhisme – qui recoupe d'ailleurs sur plus d'un point les sagesses antiques occidentales. Pour autant, je ne suis pas certain qu'on puisse considérer le bouddhisme comme une « philosophie » au sens grec du terme. Contrairement aux versions édulcorées qu'on en retient en Occident, il contient trop de dogmes proprement religieux pour cela. Ils sont, c'est l'évidence, éminemment respectables, impressionnants de profondeur sans doute, mais je vois mal comment la philosophie pourrait s'en accommoder.

C'est là, bien sûr, une discussion dont je reconnais volontiers qu'elle reste ouverte. Je ne prétends nullement la clore ici. Seulement préciser les limites d'un ouvrage qui n'avait aucune prétention au savoir absolu et dont je suis convaincu qu'il n'aurait rien gagné – sauf peut-être en politiquement correct – à se transformer artificiellement en une encyclopédie universelle de la pensée tous azimuts.

III

Pour emporter sur l'île déserte…

Comment nous situer au terme de cette histoire de la philosophie, comment en tirer parti pour, autant qu'il est possible, la prolonger ? Quelles sont les questions qui l'animent aujourd'hui et qu'il nous faut prendre en compte pour continuer à donner du sens à nos vies ? Dans *Apprendre à vivre*, j'ai déjà eu l'occasion, en esquissant mon histoire des grandes visions du monde, de présenter une pléiade d'idées que je trouve géniales et que je conseillerais à tout un chacun d'emporter, comme on dit, sur l'île déserte. Entre autres et dans le désordre : la différence entre l'homme et l'animal chez Rousseau, la fondation de l'humanisme moderne chez Kant, le monde de la technique chez Heidegger, la représentation du cosmos chez les stoïciens, le rejet des pesanteurs de l'avenir et du passé chez les Anciens, le

« grand style » et l'innocence du devenir selon Nietzsche, la critique des passions tristes dans la sagesse matérialiste héritée de Spinoza, les principes aristocratiques de l'éthique d'Aristote, le *Cogito* de Descartes et quelques autres encore qui valent également le détour...

J'aimerais proposer ici, pour ouvrir davantage l'horizon et inviter à poursuivre le travail de la pensée élargie, d'ajouter à ce bouquet quelques perspectives supplémentaires qui me paraissent valoir, elles aussi, la peine – ou plutôt le plaisir – qu'on s'y arrête. Je les ai parfois évoquées dans tel ou tel de mes livres précédents, mais dans des contextes particuliers, souvent de façon moins pédagogique, de sorte que j'aimerais les représenter ici pour elles-mêmes, comme des « miniatures », sous forme de petits exposés concentrés sur la pensée moderne et contemporaine, afin que l'on puisse mesurer aussi combien la philosophie n'est pas grande seulement par son passé. Même si je suis loin de toutes les partager, ces idées font partie de mon musée imaginaire et je suis certain qu'elles donnent, en toute hypothèse, beaucoup à penser.

En même temps qu'elles offriront l'occasion de réfléchir à un sujet particulier, je les ai aussi choisies pour deux autres raisons.

La première, c'est qu'elles me semblent en elles-mêmes fournir un angle d'attaque qui permettra à ceux qui le souhaitent d'aborder plus aisément un grand auteur ou un courant de pensée.

La seconde est directement liée au fil conducteur de ce livre. Comme je l'indique dans l'avant-propos, il existe, hors des grandes avenues que forment la théorie, l'éthique et la réflexion sur la sagesse et le salut, une quantité innombrable de chemins de traverse. Sur ce point, je rejoins tout à fait les remarques d'André Comte-Sponville : on peut bien évidemment faire de la philosophie, et même de la très grande, sur des sujets particuliers qui, au moins au premier abord, n'entretiennent pas de rapport direct avec la question du salut. La philosophie aide à penser et à vivre aussi en ce sens qu'elle nous permet de comprendre, comme nulle autre discipline de l'esprit, des aspects particuliers de nos existences qu'elle relie plus ou moins secrètement à ces perspectives plus vastes que constituent implicitement la théorie, la morale et l'interrogation sur la sagesse. C'est là un aspect du travail philosophique auquel je voulais rendre hommage, un côté souvent caché que j'aimerais rendre visible à tous ceux qui entreprennent de s'y intéresser.

Bien entendu, comme on le verra dans le premier exposé, consacré à Hegel, d'autres disciplines de la vie de l'esprit vont dans le même sens que la philosophie : c'est le cas, selon Hegel, de l'art et de la religion qui possèdent à ses yeux, mais par d'autres voies, les mêmes ambitions que la philosophie. L'analogie peut s'entendre en deux sens. On peut la lire comme s'il s'agissait de prouver la supériorité du travail philosophique sur les autres moments de la vie de l'esprit. On peut aussi la déchiffrer à l'inverse, comme si elle montrait que toutes les formes de vie spirituelle se rejoignent et vont, au fond, chacune à leur façon, dans le même sens.

Cette dernière lecture, qui me semble plus juste et plus intéressante, permet de comprendre une expérience que font tous les philosophes : celle qui consiste à découvrir que d'autres, par des voies qui n'ont à première vue rien de commun avec celles de la philosophie – par exemple la littérature ou la musique, mais parfois aussi certains métiers manuels auxquels les philosophes songent rarement *a priori* –, ont découvert sur la vie des vérités proprement philosophiques qui n'ont rien à envier à celles que finissent par apercevoir les « professionnels » de la discipline. C'est là aussi l'un des intérêts du petit texte de Hegel, si du moins on accepte de le lire un peu à rebours du mouvement naturel qui est le sien à première vue.

Voici les autres sujets abordés, regroupés ici selon les trois rubriques formées par les trois interrogations essentielles touchant la théorie, l'éthique et la sagesse :

I – LA PHILOSOPHIE, CE QU'ELLE EST, CE QU'ELLE N'EST PAS…

— Art, religion et philosophie selon Hegel.
— Le coupe-papier de Sartre et la définition de l'existentialisme.
— Le critère de démarcation entre science et fausse science selon Popper.
— La généalogie chez Marx, Nietzsche et Freud.
— La différence entre théorie philosophique et théorie scientifique selon Heidegger.

II – ÉTHIQUE APPLIQUÉE

— L'utilitarisme anglais et la question du droit des animaux.

— La pédagogie du travail chez Rousseau et Kant.

III – LA SAGESSE DE L'AMOUR

Qu'aimons-nous chez les autres ? La singularité de l'amour selon Pascal.

I – DÉFINITIONS DE LA PHILOSOPHIE : CE QU'ELLE EST ET CE QU'ELLE N'EST PAS

Art, religion et philosophie selon Hegel

Les textes que Hegel a consacrés – notamment dans ses cours sur l'esthétique mais aussi dans ses leçons sur l'histoire de la philosophie – aux rapports qui existent entre l'art, la religion et la philosophie offrent un intérêt exceptionnel. Ils permettent comme nuls autres de comprendre comment Hegel, qui fut un des plus grands philosophes de tous les temps, concevait l'activité philosophique par rapport à ces deux sphères voisines dans le champ de la culture et de la pensée. Voici, en substance, son message : ces trois dimensions de la vie de l'esprit ont la même mission, la même finalité, à savoir exprimer le divin ou, comme il dit dans son langage, « la vie de l'esprit absolu ». Mais, dans chaque cas, bien que le contenu soit au final le même, c'est la forme ou l'expression qui diffère. Essayons de comprendre ce que Hegel veut dire par là : cela en vaut d'autant plus la peine que cela ne nous permettra pas seulement de saisir un aspect décisif de son œuvre, mais aussi de mieux percevoir ce qu'est l'essence de la philosophie en général.

Commençons par l'art.

Dans ses cours sur l'esthétique, Hegel le définit comme cette activité spécifique de l'homme qui vise à mettre en scène ou pour mieux dire à incarner sous une forme sensible, matérielle, l'idée d'absolu. En d'autres termes, cela signifie que l'art est là pour traduire dans un dessin, une peinture, un temple, une sculpture, une musique, etc., l'idée que les hommes se font de Dieu à une époque et dans une culture données. Et, de fait, on ne peut nier que dans toutes les civilisations, jusqu'à une date récente – en gros, jusqu'au XVIIe siècle européen –, l'art est la plupart du temps voué, comme la religion, à exprimer ce que Hegel nomme la « Vérité intelligible » la plus haute, c'est-à-dire l'Idée de Dieu. Mais la grande différence avec la religion, selon Hegel, c'est qu'il le fait *dans une forme qui est, paradoxalement, contraire au contenu qu'il veut transmettre.* En effet, si l'art part bien de l'idée de Dieu, par conséquent de ce qu'il y a de plus spirituel parmi toutes nos pensées, il ne s'en efforce pas moins d'incarner cette idée dans un matériau sensible : le marbre du sculpteur, la pierre de l'architecte, les vibrations sonores du compositeur, les couleurs du peintre, etc. De ce point de vue, on peut dire que la forme artistique en tant que telle est inadéquate au fond qu'elle veut traduire puisque, justement, elle est sensible et que ce fond est intelligible. Dieu est une entité par définition immatérielle, purement spirituelle. Il ne pourra donc jamais être parfaitement exprimé dans l'art. Voici pourquoi l'art devra finalement être dépassé, comme Hegel le dit de manière tout à fait claire dans ses cours consacrés à l'esthétique : « De même que l'art trouve son avant dans la nature et dans les domaines de la vie, il possède aussi son après, c'est-à-dire une sphère qui, à son tour, dépasse son mode d'appréhension et de présentation de l'absolu. Car l'art contient encore en lui-même une borne et doit donc se dissoudre dans des formes supérieures de conscience. »

Et cet « après de l'art », cette sphère supérieure à celle de l'esthétique, porte un nom : il s'agit bien sûr de la religion même. C'est elle qui prend le relais et qui va pouvoir aller beaucoup plus loin que l'art car elle cherchera cette fois-ci à exprimer le divin, non plus dans un matériau sensible, totalement étranger à lui, mais *dans l'élément de la conscience d'un sujet*, dans une intériorité, celle de la foi, qui est un état de conscience personnelle situé dans le « sens interne », c'est-à-dire dans le temps, et non plus dans l'extériorité d'une matière située dans l'espace. Comme dit encore Hegel, la religion nous parle du divin au travers de « représentations ». Par ce terme, Hegel vise quelque chose de tout à fait précis. Il pense notamment au fait que, pour faire comprendre la vérité divine, le Christ recourt sans cesse à des images, des métaphores, des mythes, des symboles, etc., qui parlent à la conscience des hommes. Les Évangiles sont remplis de paraboles au fil desquelles Jésus tente de faire passer un message religieux accessible à tous. Certains romantiques allemands comparaient parfois ces fameuses paraboles aux contes de fées populaires qui, eux aussi, parlent à la conscience commune et transmettent parfois des messages d'une signification très profonde.

Aux yeux de Hegel – qui fit de longues études de théologie –, la religion s'élève ainsi d'un cran au-dessus de l'art dans la tentative d'exprimer la vérité de l'idée de Dieu. Parler à la conscience, placer d'entrée de jeu le divin dans l'intériorité d'un esprit et non plus dans l'extériorité d'un matériau sensible, c'est déjà beaucoup mieux que d'essayer, comme dans l'art, de l'exprimer au sein de ce qui lui est radicalement contraire. La religion apparaît ainsi comme plus proche du divin authentique puisque ce dernier est maintenant situé dans la subjectivité. Elle nous élève de l'esthétique, du sensible, au spirituel. On notera cependant que pour Hegel, d'une part, le contenu reste le même – il s'agit toujours de traduire le même message divin que celui auquel s'attache l'art – et, de l'autre, la forme n'atteint pas encore à l'expression la plus haute. En effet, les paraboles, les mythes et les symboles, si profonds soient-ils, continuent de tourner autour de la chose même sans la saisir vraiment : on parle bien du divin, mais on en parle à mots couverts, comme si on s'adressait à des petits enfants, comme si on en restait toujours au sens figuré sans jamais être capable de dire le sens propre.

Seule la philosophie pourra, selon Hegel, accomplir véritablement la tâche de penser et de dire adéquatement le divin : si ce dernier est d'ordre spirituel, intelligible, c'est, en effet, dans l'élément de l'intelligence, et non plus dans ceux du sensible ou du mythe, qu'il faut l'exprimer. Par conséquent, c'est dans l'élément conceptuel par excellence, dans la rationalité philosophique bien comprise, que cette expression enfin adéquate pourra advenir. Toute la philosophie sera vouée à réaliser enfin cette tâche : dire le divin mieux que l'art et la religion, le dire « dans le concept », dans la pensée, et non plus dans un matériau sensible ou dans des paraboles approximatives. Par où l'on voit comment Hegel attribue à la philosophie le même contenu qu'à la religion, la seule différence tenant à l'expression de ce contenu qui doit devenir rationnelle – le moment de la Révélation, c'est-à-dire le moment religieux par excellence, devenant peu à peu superflu. Et c'est en quoi l'on peut dire que cette rationalisation de la religion par la philosophie moderne est aussi une sécularisation ou une humanisation de son contenu.

C'est là ce qui transparaît clairement dans une des thèses les plus célèbres de Hegel : celle selon laquelle l'art appartiendrait désormais à une époque révolue de l'histoire humaine. Dans ses cours d'esthétique, il ne cesse d'y insister : « L'art est et reste pour nous, quant à sa destination la plus haute, quelque chose de passé », il a perdu, « pour nous » ajoute Hegel, sa « vérité authentique » et « cessé d'être vivant ». Bref, Hegel se fait ici l'apôtre de la « mort de l'art ». Cela pourra sembler sans doute curieux, voire tout simplement faux à tous ceux qui pensent que l'art contemporain, l'art du XXe siècle, a renouvelé tous les genres esthétiques de manière particulièrement convaincante en se débarrassant justement de l'impératif de représenter le divin. Pourtant, l'affirmation n'est pas dénuée de sens, loin de là, si on fait l'effort de la comprendre de l'intérieur, aux deux niveaux de profondeur successifs auxquels elle se place : il est clair, bien sûr, que le « pour nous » s'entend d'abord en un sens historique et signifie : « pour nous, modernes », qui avons quitté l'enfance de l'humanité. Il signifie aussi : pour nous, philosophes de culture chrétienne, qui parvenons à comprendre que la divinité n'a pas besoin d'une forme sensible, donc, pas besoin de l'art, pour être représentée à la conscience. Puisqu'elle est spiritualité pure, c'est même par une naïveté foncière que la vision esthétique du monde s'en tient à une appréhension sensible de l'absolu.

Voici donc l'art conduit à se dissoudre dans la religion – elle-même conçue comme un simple mode (certes supérieur, parce que moins sensible) de présentation de la vérité du divin. C'est là ce que Hegel – qui passe parfois pour le philosophe le plus obscur de tous les temps – a formulé dans ses cours de la façon la plus claire : « Pour nous, l'art ne passe plus pour le mode suprême que la vérité puisse emprunter pour se donner une existence. En fait, la pensée s'est très tôt élevée contre l'art comme représentation qui rend le divin sensible : chez les juifs et les mahométans, voire chez les Grecs comme Platon, déjà, qui s'est opposé avec vigueur aux Dieux d'Homère et d'Hésiode. À vrai dire, avec les progrès de la culture vient pour chaque peuple un temps où l'art fait signe vers son propre dépassement » (I, 141/142). Et, selon Hegel, ce temps est venu en Europe lorsque, avec la Réforme, le christianisme qui avait fait lui-même usage de l'art, a dû enfin y renoncer, la représentation de Dieu ayant atteint un degré trop élevé de spiritualité pour pouvoir être plus longtemps galvaudée de la sorte. Là encore, Hegel le dit en des termes limpides : « Lorsque la passion du savoir et de la recherche ainsi que le besoin d'une spiritualité intérieure engendrèrent la Réforme, la représentation religieuse dut elle aussi se retirer de l'élément sensible pour rentrer dans l'intériorité de l'âme et de la pensée. L'après de l'art consiste en ceci que l'esprit est habité par le besoin de trouver la satisfaction en son propre sein seulement comme étant la vraie forme qui convient à la vérité. » On ne saurait mieux dire, et ce passage par la Réforme exprime en condensé tout ce que la religion ajoute à l'art en adoptant pour forme la représentation : avec cette dernière, « l'absolu se déplace de l'objectivité de l'art vers l'intériorité du sujet », de sorte que Hegel n'hésite pas à parler d'un « progrès de l'art vers la religion ».

Mais ce progrès, comme je l'ai déjà laissé entendre, ne s'achèvera pour Hegel qu'avec avec la philosophie : elle seule parvient à penser l'intériorité d'une façon qui convient pleinement à la nature du divin qui est Esprit. Car, pour l'avoir intériorisé, la religion n'en continue pas moins de représenter Dieu comme un objet extérieur à la conscience : cela est à vrai dire inhérent à la structure même de la représentation en tant que telle. Comme le dira plus tard Husserl, d'une formule que Hegel n'aurait pas reniée, « toute conscience est conscience de quelque chose », conscience d'une chose finie – une table, une chaise, un arbre, etc. – qui s'oppose à elle comme donnée de l'extérieur. Mais Dieu, justement, n'est pas une chose finie, il est l'absolu. On ne doit donc pas se le représenter comme un objet parmi d'autres, extérieur à nous comme toutes les autres choses dans le monde. Par suite, la conscience humaine elle-même ne saurait être le lieu le mieux adapté à sa juste compréhension.

De même qu'on doit dépasser l'expression sensible, esthétique, du divin dans l'art, il faut aussi, selon Hegel, dépasser la représentation naïve que la religion donne habituellement de Dieu comme un objet extérieur qui ferait en quelque sorte face à notre conscience. Si l'on veut comprendre en première approximation ce que veut dire ici Hegel, on peut penser à ces croyants un peu particuliers que sont les mystiques. Justement, ils font tout pour éviter de penser Dieu comme un objet séparé, voire opposé à la conscience humaine. Pour eux, l'idéal, ce serait la réconciliation complète de notre conscience d'être fini avec l'absolu divin. Voilà pourquoi ils essaient de penser la foi comme une « fusion en Dieu », comme une sorte d'abolition de la conscience au profit d'une union absolue avec Dieu. Voilà aussi pourquoi ils développent des pratiques religieuses, mortifications ou prières à répétition par exemple, qui visent à abolir sa propre subjectivité pour mieux coïncider avec l'absolu visé.

Bien entendu, Hegel n'est pas un mystique. C'est un rationaliste qui condamne cette tentative illusoire de coïncider directement, de manière immédiate, avec Dieu. Mais il pense, comme les mystiques, que c'est bien cependant cette réconciliation parfaite qu'il faut réaliser. Simplement, ce n'est pas à ses yeux dans le mysticisme qu'elle doit advenir. Seule la philosophie spéculative, la pensée pure, parviendra à réconcilier l'objectivité de l'art et la subjectivité de la religion pour exprimer enfin pleinement les attributs du divin et nous réconcilier avec eux.

Peu importe, ici, les modalités de cette difficile réconciliation – ce sont les thèses les plus générales du système hégélien, voire le système tout entier qu'il faudrait déployer pour en justifier la possibilité – en admettant qu'on y parvienne... Ce qu'on peut déjà retenir au stade où nous sommes parvenus, c'est qu'à ses yeux c'est la métaphysique, dans son moment rationaliste le plus élevé, qui prétend bien réaliser par la pensée, dans l'« élément du concept », comme dit Hegel, ce que la religion ne nous proposait que par la foi : réconcilier enfin l'homme et Dieu, les réunir dans une même communauté spirituelle et parvenir ainsi à l'union du fini et de l'infini, du relatif et de l'absolu.

En guise de conclusion, on peut indiquer un exemple au plus haut point significatif de la façon dont le jargon philosophique – dont Hegel était friand, comme presque tous les philosophes de son temps :

comme dans les grands concertos romantiques, qui datent de la même période, la virtuosité faisait partie intégrante de la culture du temps au point de devenir un impératif quasiment incontournable – peut recouvrir des idées qui pourraient parfois être simplement formulées. Hegel définit en maints passages de son œuvre son système philosophique achevé comme « l'identité de l'identité et de la différence ». Il faut bien avouer que, formulée de cette façon, la définition de la philosophie devient incompréhensible pour la quasi-totalité du genre humain.

Cependant, avec le peu que nous venons de voir, nous disposons déjà des moyens qui peuvent permettre de « traduire » la formule pour la rendre à peu de chose près compréhensible. Elle signifie tout simplement que la philosophie, comme l'art, comme la religion, mais mieux qu'eux et de façon enfin accomplie, doit réaliser la réconciliation de Dieu et de l'homme, de l'infini et du fini – ces termes sont ici synonymes : Dieu est l'infini, l'être qui reste toujours identique à lui-même, puisqu'il est tout à la fois parfait et hors du temps, éternel. L'homme, c'est le « fini », c'est-à-dire cet individu en effet, limité, puisqu'il est voué à l'ignorance, au péché et finalement à la mort. Loin d'être toujours identique à lui-même, comme Dieu, il est voué au changement, au temps, donc à la « différence », voire à la « scission », comme dit encore Hegel pour désigner le fait que l'être humain ne peut jamais tout à fait se réconcilier avec le monde et l'aimer parfaitement tant qu'il n'est pas lui-même réconcilié avec Dieu. La philosophie, en tant que pensée de la réconciliation du divin et de l'humain, de l'infini et du fini, de ce qui reste identique à soi et de ce qui est mortel, voué à devenir différent de soi, est donc bien identité (= réconciliation) de l'identité (= de Dieu) et de la différence (= de l'homme) !

Mais, par-delà l'abstraction des formules – et sans doute aussi de la pensée qu'elles tentent tant bien que mal de traduire –, la perception hégélienne de la différence entre art, religion et philosophie reste, je crois, très éclairante pour nous sur plus d'un point. Ce que j'en retiens, c'est d'abord et avant tout cette idée, que je trouve profondément juste, selon laquelle la finalité de l'art, sa « mission » comme certains diraient peut-être aujourd'hui, c'est d'exprimer la vérité – des vérités, ou à tout le moins de grandes expériences humaines – dans un matériau sensible. En ce sens, l'art possède le même objectif que la littérature ou la philosophie. Seule l'expression, les moyens utilisés si l'on veut, diffère. Ce qui explique de façon profonde les liens qui peuvent se tisser sans qu'on y prenne garde entre des régions de la vie de l'esprit que l'on a trop souvent pris l'habitude d'opposer : il n'y a pas, d'un côté, la philosophie qui serait rationaliste et « sèche », d'un autre la fiction, imaginative et sensible, d'un troisième la musique ou les arts plastiques qui touchent la sensibilité avant tout, mais ces divers moments de l'activité spirituelle, sans pour autant bien sûr se confondre, sont secrètement reliés entre eux par une multiplicité d'analogies.

« L'existence précède l'essence »
ou les cinq concepts clefs de l'existentialisme sartrien : la mauvaise foi, la réification, l'être et le néant, la nausée

Commençons par le commencement : qu'est-ce que l'existentialisme ? Tout simplement, selon Sartre, la philosophie qui fait sienne la conviction que « l'existence précède l'essence ». La formule peut sembler abrupte et peu parlante à première vue. Elle est pourtant plus simple et plus profonde qu'il y paraît. Elle signifie d'abord ceci : dans toute la philosophie classique d'inspiration platonicienne et, plus encore peut-être, dans la religion chrétienne, on est parti de l'idée que, pour l'être humain, « l'essence précédait l'existence ». En clair : Dieu conçoit d'abord l'homme et la femme, puis vient, dans un second temps, la création qui les fait exister. Il est en quelque sorte un « Dieu artisan » qui, tel un ouvrier ayant à fabriquer un objet, tracerait d'abord un plan, puis le réaliserait. Pour le dire encore autrement, dans cette perspective, Dieu fait d'abord fonctionner son entendement, puis seulement, dans un second temps, sa volonté.

Pour rendre sa pensée tout à fait claire, Sartre, dans un petit texte que je conseille à tous mes étudiants de lire, *L'Existentialisme est un humanisme,* prend l'exemple d'un ouvrier qui aurait à fabriquer un coupe-papier. Et voici comment il formule les choses :

Lorsqu'on considère un objet fabriqué, comme, par exemple, un livre ou un coupe-papier, cet objet a été fabriqué par un artisan qui s'est inspiré d'un concept ; il s'est référé au concept de coupe-papier et, également, à une technique de production préalable qui fait partie du concept, et qui est au fond une recette. Ainsi, le coupe-papier est à la fois un objet qui se produit d'une certaine manière et qui, d'autre part, a une utilité définie, et on ne peut pas supposer un homme qui produirait un coupe-papier sans savoir à quoi l'objet va servir. Nous dirons donc que, pour le coupe-papier, l'essence, c'est-à-dire l'ensemble des recettes et des qualités qui permettent de le produire et de le définir, précède l'existence… Lorsque nous concevons un Dieu créateur, ce Dieu est assimilé la plupart du temps à un artisan supérieur ; et quelle que soit la doctrine que nous considérions, qu'il s'agisse d'une doctrine comme celle de Descartes ou de la doctrine de Leibniz, nous admettons toujours que la volonté suit plus ou moins l'entendement ou tout au moins l'accompagne, et que Dieu, lorsqu'il crée, sait précisément ce qu'il crée. Ainsi le concept d'homme, dans l'esprit de Dieu, est assimilable au concept de coupe-papier dans l'esprit de l'industriel… L'existentialisme athée que je représente […] déclare que si Dieu n'existe pas, il y a au moins un être chez qui l'existence précède l'essence, un être qui existe avant de pouvoir être défini par aucun concept et que cet être c'est l'homme…

En quoi l'on voit comment Sartre, sans le savoir (et même en croyant être tout à fait original), rejoint presque au mot près la pensée de la liberté humaine élaborée par Rousseau et Kant. Pour lui comme pour eux, l'homme est libre en ce sens qu'il échappe à toutes les catégories « essentielles », à toutes les définitions, mais aussi à tous les « programmes » dans lesquels on voudrait l'enfermer.

Voilà pourquoi, aux yeux de Sartre, le premier adversaire de l'existentialisme, c'est la religion, et notamment la théologie chrétienne. En effet, selon la vision théologique du monde, l'essence (le plan) vient avant l'existence (sa réalisation), de sorte qu'il faut supposer au préalable une *finalité* de l'être créé d'où l'on pourrait déduire une réflexion sur sa destination – en ce qui concerne l'homme, une morale. De même que le coupe-papier est « fait pour » ouvrir des livres ou l'horloge pour donner l'heure, on doit imaginer que l'être humain, lui aussi, dans la perspective où il est « fabriqué » par un Dieu, doit répondre à un objectif et remplir une certaine mission (par exemple, le servir, obéir à ses commandements, etc.).

C'est ce schéma classique, avec toutes ses implications éthiques, que l'existentialisme sartrien propose de renverser : si l'être humain n'est pas à proprement parler une *créature*, aucun « plan », aucune « essence », ne précède son existence. Aucune finalité particulière ne s'attache par conséquent à son être – comme il en existe en revanche pour tous les objets fabriqués. L'être humain est en ce sens le seul qui soit pleinement libre, le seul qui échappe *a priori* à toute définition préalable. Il lui revient, non point de suivre des commandements divins qui s'attacheraient à son statut de créature, mais au contraire d'« inventer » le Bien et le Mal.

De cette simple approche de l'existentialisme se déduit déjà une thèse cruciale : pour Sartre, comme pour Rousseau et Kant, il n'y a pas de « nature humaine » intangible, pas de destination de l'homme inscrite *a priori* dans une essence.

Il faut faire bien attention lorsqu'on lit Sartre : comme il n'est pas un bon historien de la philosophie, il ignore ses prédécesseurs et il ne cesse de prétendre, à tort, que l'existentialisme marque une rupture totale avec les philosophes du XVIIIe siècle. En quoi il se trompe, ce qui est sans importance quant au fond, mais parfois gênant sur le plan historique. En vérité, comme Rousseau et Kant, Sartre pense que l'homme est l'être qui fait pour ainsi dire « exploser » toutes les catégories, toutes les définitions dans lesquelles on veut l'emprisonner – en quoi réside, à nouveau, sa liberté. Voilà pourquoi aussi, comme eux, il en vient à faire voler en éclats les présupposés du racisme et du sexisme. En quoi consistent-ils, en effet, sinon dans l'idée qu'il existe une *essence* de la femme, de l'Arabe, du Noir, du Jaune ou du Juif qui précéderait leur existence et d'où se déduiraient des caractéristiques nécessaires et communes à l'« espèce » ? Il serait ainsi dans la « nature » de « la » femme (comme s'il n'y en avait qu'une seule !) d'avoir des enfants, de ne point participer à la vie publique pour s'enfermer dans la domesticité, d'être douce et sensible, intuitive plus qu'intellectuelle, etc., comme il serait, selon les clichés habituels du racisme, dans la nature « du » Noir d'avoir le rythme dans le sang et d'être infantile (« l'Africain est joueur »), de « l' » Arabe d'être fourbe, « du » Juif d'être intelligent, d'aimer l'argent, et autres balivernes du même acabit.

Mais s'il n'existe aucune « nature » de l'être humain en général, il n'en est pas davantage de tel sexe ou de telle « race ». C'est sur cette conviction que l'existentialisme a eu pour vocation de fonder un féminisme et un antiracisme de type *universaliste* : ce qui donne sa dignité à l'être humain en général, c'est le fait qu'il est, à la différence des objets ou des animaux, un être fondamentalement libre, transcendant toutes les étiquettes qu'on prétend lui accoler. Ce qui fait sa valeur, ce n'est pas son appartenance à une communauté sexuelle, ethnique, nationale, linguistique ou culturelle particulière, mais au contraire le fait qu'il est capable de s'élever au-dessus de tous ces enracinements possibles pour participer de l'humanité *en général.*

Pour les mêmes raisons, ni l'histoire ni la nature ne sauraient être tenues pour des « codes » déterminants. Certes l'être humain est en situation : il a un sexe, une nation, une famille, etc. Bref, il a une nature et une histoire. Mais justement, à l'encontre de ce que prétend le matérialisme, il n'*est* pas cette nature et cette histoire ni ne saurait s'y réduire. Il les *a* et peut les mettre en perspective, voire, dans une certaine mesure, s'en abstraire pour jeter sur elles un regard critique. Pour être femme, on n'en est pas moins Homme…

Malgré leurs prétentions à s'affranchir de toute forme de religion, les grandes figures du matérialisme, le biologisme, la psychanalyse et le marxisme, apparaissent de ce point de vue à Sartre comme les nouvelles « théologies » de notre temps. Sans même s'en rendre compte, en effet, elles reconduisent l'idée que l'être humain serait déterminé à son insu par des « essences » préalables à son existence : son sexe, son infrastructure génétique ou neurale, son milieu familial, sa classe sociale fonctionneraient comme des catégories déterminantes, comme des codes puissants qui commanderaient inconsciemment le moindre de ses actes. C'est ce nouveau déterminisme que l'existentialisme rejette – d'où sa célèbre critique de l'idée d'inconscient et, à l'époque où il est encore une philosophie de la liberté, ses polémiques contre les marxistes orthodoxes. C'est dans cette optique qu'au cours d'un débat resté célèbre, Sartre reprochera aux marxistes de vouloir enfermer l'être humain dans une science de l'histoire qui, annonçant la Révolution comme une fatalité mécanique, nie sa liberté.

De là l'importance du concept de « mauvaise foi » chez Sartre. Il désigne au fond l'inverse de la liberté assumée, la réaffirmation des catégories qui, prétendument, nous déterminent. La mauvaise foi consiste en pratique à s'identifier à un rôle psychologique ou social, à une image empruntée au regard des autres de telle sorte que ce rôle et cette image vont bientôt fonctionner comme une « essence » qui déterminerait de part en part nos attitudes.

Il faut lire de ce point de vue les célèbres pages consacrées par Sartre, dans *L'Être et le Néant*, à la description du garçon de café qui joue à être garçon de café, qui fait tout pour être conforme à son essence : ses formules sont alors figées (« et pour monsieur ce sera ? ») et ses moindres gestes sont prédéterminés (la position du plateau, ses oscillations savamment maîtrisées, le négligé de la serviette blanche qui pend sur l'avant-bras, etc.). Ce qu'il faut ajouter, c'est qu'il ne s'agit bien sûr que d'un exemple parmi mille autres possibles et qu'il existe, dans notre vie, une infinité de façons de céder à la mauvaise foi en nous identifiant à des rôles « bien connus » : le bon père de famille, le savant Cosinus toujours distrait, le militaire rigide, la femme enfant, la petite fille modèle, etc. Bref, tout nous est bon pour nier notre propre liberté et nous couler dans des « essences » toutes faites qu'il ne nous reste plus qu'à jouer comme des personnages de théâtre.

En quoi la mauvaise foi conduit toujours à la *réification* de l'humain, au sens propre, étymologique : sa transformation en une chose (en latin : *res*), en un objet dont l'essence précède, en effet, l'existence et la détermine. Tout objet est ce qu'il est. Il coïncide pleinement avec lui-même et c'est à cette coïncidence parfaite avec soi que vise l'homme de mauvaise foi lorsqu'il entend s'identifier à son rôle au point de ne faire qu'un avec lui.

Aussi étrange que cela puisse paraître à première vue, l'être humain authentique, à la différence de tous les autres êtres, n'est pas ce qu'il est. Ce n'est pas une formule et il n'y a rien là de contradictoire ni d'illogique. Il suffit pour s'en convaincre de prêter un instant attention au phénomène de la « conscience de soi » : quand je pense à moi et que je dis de moi, comme à confesse, que je suis ceci ou cela, gourmand ou paresseux, je suis à l'évidence en quelque façon déjà au-delà de moi-même. Il s'opère pour ainsi dire un dédoublement du moi, entre un moi objet, dont je dis qu'il est gourmand, paresseux, etc., et un moi sujet qui réfléchit et juge son *alter ego*.

Bref, si les objets matériels et les animaux *sont* ce qu'ils sont, s'ils sont « pleins d'être », comme dit Sartre, l'être humain, à travers cette expérience unique et mystérieuse de la conscience, fait l'épreuve de la dualité : dès qu'il commence à se regarder lui-même, il n'est plus tout à fait ce qu'il est. C'est ce « ne pas », cette distance à soi, ce « trou dans l'être », que Sartre nomme le « néant ». De là le titre qu'il a d'ailleurs donné à son livre principal : *L'Être et le Néant* qu'on pourrait presque traduire par : « La chose et l'homme. » Dans la même perspective, on pourrait dire du matérialisme sous toutes ses formes contemporaines – du biologisme, de la psychanalyse orthodoxe et du marxisme notamment – qu'il est l'instrument théorique de la plus grande « mauvaise foi » en ce qu'il nie la présence du néant dans l'homme et, ainsi, travaille à sa réification.

La vérité, si l'existence n'est pas déterminée et s'il n'est aucun Dieu pour avoir créé l'univers, c'est que le monde tout entier baigne, si l'on peut dire, dans l'« indéterminisme ». Non seulement l'existence humaine n'a pas de sens déterminé *a priori* (de sorte que l'être humain doit donner par et pour lui-même un sens à sa vie), mais le monde dans lequel nous vivons est de part en part contingent au sens où il aurait aussi bien pu ne pas être tout autant qu'il pourrait aujourd'hui basculer dans le néant. C'est le sentiment de cette contingence de l'être que Heidegger nommait l'angoisse et que Sartre désigne sous le nom de « nausée » . Dans le livre qui porte ce titre, le personnage principal la définit en ces termes : « Tout est gratuit, le jardin, cette ville et moi-même. Quand il arrive qu'on s'en rende compte, ça vous tourne le cœur et tout se met à flotter. Voilà la nausée. »

On comprend aisément que ces thèmes sartriens aient pu donner le sentiment à certains, parmi les chrétiens et les marxistes orthodoxes notamment, que l'existentialisme était un immoralisme ou pire, un nihilisme. On aurait pu tout aussi bien y voir une critique radicale des deux grandes figures de la métaphysique : la théologie dogmatique et le matérialisme, qui cherchent toujours la raison du comportement des hommes en dehors d'eux. Il est dommage que Sartre lui-même ne soit pas resté fidèle aux idées de sa jeunesse, qu'il les ait reniées pour laisser finalement l'image malheureuse du vieux compagnon de route des idéologies antihumanistes et totalitaires. Car il avait su traduire, comme aucun autre avant lui peut-être (hormis Husserl), ce que l'humanisme de Rousseau et de Kant avait d'annonciateur pour la philosophie contemporaine.

Dans un tout autre style, et touchant de tout autres questions – surtout celle du statut des sciences –, le philosophe dont nous allons maintenant parler, Karl Popper (1902-1994), est lui aussi l'un de ceux qui, dans la pensée contemporaine, ont entrepris de développer certains aspects du kantisme. Comme Sartre aussi, il peut figurer parmi les plus grands critiques du matérialisme contemporain. À une époque où il ne faisait pas bon bousculer leurs dogmes, il eut l'idée de dénoncer la supercherie des « fausses sciences » qu'étaient, à ses yeux, le marxisme et la psychanalyse dogmatiques. Comme on va voir, son message vaut le détour.

Science et fausses sciences : le critère de démarcation selon Popper

Comment distinguer le discours scientifique des autres discours, et notamment des fausses sciences qui prétendent lui emprunter sa légitimité ? Où faire passer, par exemple, la différence entre l'astronomie et l'astrologie, mais aussi bien entre les sciences dures, comme la biologie et la physique, et les sciences humaines, comme la psychologie et la sociologie ? Voilà la question cruciale à laquelle Popper aura travaillé toute sa vie.

La pensée de Popper n'est pas une doctrine philosophique complète, un système comme celui des stoïciens ou de Kant, par exemple, avec une *theoria*, une morale, une sotériologie. Ce caractère partiel de sa philosophie est lié au fait que, pour l'essentiel, il s'inscrit dans un cadre déjà élaboré, qu'il nomme le « rationalisme critique » et qui, en gros, correspond à la philosophie kantienne. Elle n'en est pas moins très cohérente et fort profonde. Elle possède des ramifications innombrables, de sorte qu'elle a donné lieu à bien des controverses, ainsi qu'à des lectures parfois divergentes. Popper lui-même a souvent éprouvé le sentiment d'avoir été mal compris, voire trahi par certains de ses plus proches disciples. Ici, je n'aspire qu'à donner une idée du principe fondamental de sa pensée. Mais, si l'on veut aller plus loin, il faudra lire son maître livre, *Conjectures et réfutations*.

Tâchons donc d'aller à l'essentiel qui réside, sans aucun doute, aux yeux de Popper lui-même, dans la fameuse notion de « falsifiabilité ». Fondamentalement, Popper l'utilise pour désigner le critère de démarcation entre la science et les autres discours. Pour lui, en effet, le discours scientifique se caractérise d'abord et avant tout par le fait qu'à la différence des autres discours, il est, non pas vérifiable, comme on le dit si souvent, mais au contraire « falsifiable », c'est-à-dire, en première approximation, réfutable par l'expérience.

Pour bien comprendre cette idée, le mieux est de partir des représentations communes de la science auxquelles Popper va radicalement s'opposer.

D'ordinaire en effet, savants et philosophes ont une propension quasi naturelle à considérer que la science est l'ensemble des propositions vraies et certaines parce que démontrées – que ce soit de manière purement logique, comme dans les mathématiques, ou de façon expérimentale, comme dans les sciences naturelles. Au fond, nous pensons tous spontanément que le but de l'activité scientifique est *de prouver, de démontrer des propositions* afin de parvenir à des certitudes ou du moins à des probabilités quasi certaines. C'est là une conception de la science que Popper nomme le « vérificationnisme » et contre laquelle il va s'élever vigoureusement.

Car, en un paradoxe étonnant, le premier risque de ce « vérificationnisme » est de conduire au contraire de ce qu'il vise, à savoir au scepticisme.

En effet, selon la perspective empiriste, qui est si souvent la « philosophie spontanée des savants », l'essentiel de la méthode scientifique repose sur ce qu'on appelle traditionnellement le raisonnement par « induction ». L'activité scientifique, du moins du côté des sciences expérimentales, procéderait d'après elle en suivant quatre grandes étapes.

En premier lieu viendrait l'observation, l'enregistrement neutre, pour ne pas dire passif, d'informations fournies par les sens.

En second lieu, cette observation conduirait le scientifique à penser qu'il existe un ordre de l'univers ou, à tout le moins, des séquences ordonnées : lorsqu'on fait chauffer de l'eau, elle finit toujours par bouillir, le jour succède à la nuit, la chaleur dilate certains matériaux, fait fondre la cire, etc.

C'est alors qu'interviendraient les hypothèses explicatives destinées à « rendre raison » des phénomènes observés. La méthode expérimentale consisterait dès lors à essayer de vérifier ces hypothèses afin de les transformer en lois scientifiques définitivement établies.

En conclusion de ce processus, c'est donc toujours à partir de l'induction que seraient obtenues les grandes lois scientifiques : c'est en observant régulièrement la répétition d'une même séquence de faits (l'eau se met à bouillir aux environs de cent degrés) qu'on en tirerait une loi générale (sur les effets de la chaleur).

Le problème, bien entendu, comme Hume l'avait bien vu dès le XVIIIe siècle, c'est que ce type de « vérificationnisme » se retourne en son contraire et vire au scepticisme. Car le raisonnement par induction ne nous permettra jamais de parvenir à des conclusions certaines. Je puis avoir observé mille fois que le jour succède à la nuit, rien ne me prouve en toute rigueur qu'il en sera de même demain matin ! Voilà pourquoi d'ailleurs, en philosophe conséquent, Hume se voulait lui-même sceptique et tenait la science, selon ses propres termes, pour une « croyance » parmi d'autres : c'est, en effet, grâce à la croyance que je passe du probable au certain, du général à l'universel, de la conviction intime que le jour va se lever à une certitude absolue, mais illégitime en toute rigueur, qu'il se lèvera bel et bien demain. En réalité, rien ne me le prouve absolument, pas plus que je puis être certain à partir de la seule induction que l'eau recommencera toujours à bouillir aux environs de cent degrés. La science fondée sur l'observation ne serait ainsi qu'une croyance, une « attente » en quelque sorte, et nullement un corpus de vérités certaines.

Si la première conclusion logique de l'empirisme est le scepticisme, la seconde est le « psychologisme », c'est-à-dire l'idée, tout aussi paradoxale que la première, selon laquelle la science n'est qu'un *sentiment*, un « état psychique » parmi d'autres, de sorte qu'il n'y aurait pas de critère de démarcation net et légitime entre la science et les autres opinions, préjugés ou croyances.

C'est ici que Popper va intervenir. Bien entendu, il ne peut qu'être d'accord avec la conclusion des empiristes : si l'activité scientifique repose tout entière sur l'observation et l'induction, le scepticisme et le psychologisme s'imposent. L'expérience pourra bien montrer mille fois qu'une loi est « vérifiée », rien ne permettra jamais dans ces conditions de prouver qu'elle le sera une nouvelle fois encore.

Mais ce que Popper conteste, ce sont les prémisses de cette épistémologie. Ce qui est faux, à ses yeux, c'est que la science procède par induction et vérification. Ses deux moments clefs sont au contraire *la conjecture et la réfutation* : la conjecture, parce que l'esprit scientifique n'est nullement passif et neutre, mais actif et même, le cas échéant, passionné. La réfutation, parce que, à l'encontre de l'opinion dominante, et c'est là que Popper introduit sa véritable « révolution », la science n'a pas pour but de « vérifier » des hypothèses (des « conjectures »), mais tout au contraire de faire son maximum pour tenter de les réfuter ou, les deux termes sont ici synonymes, de les « falsifier ».

Voyons maintenant ce que cela signifie au juste et en quoi cette inversion des points de vue, apparemment presque banale, va s'avérer en vérité d'une exceptionnelle richesse.

Popper lui-même recourt parfois dans son œuvre à un exemple tout simple mais particulièrement parlant. Considérons la proposition : « Tous les corbeaux sont noirs. » Pour les raisons que nous venons d'examiner, il est impossible de prouver, comme le voudrait le « vérificationnisme », la vérité d'une telle proposition. On aura beau accumuler mille, dix mille, cent mille observations allant dans son sens, elles ne prouveront jamais absolument que tous les corbeaux sont noirs. Il est toujours possible, en effet, qu'une nouvelle observation aille dans le sens inverse, que l'on découvre un jour un corbeau blanc ou gris, et il faudrait connaître tous les corbeaux passés, présents et à venir pour pouvoir conclure valablement, ce qui est par définition impossible. En revanche, il est parfaitement possible de réfuter ou de falsifier cette proposition : pour cela, il suffit que j'exhibe *un seul corbeau blanc* (ou gris ou vert, peu importe), et alors nous serons *certains* que la proposition est fausse !

D'où la première conclusion que Popper peut tirer de la notion de falsifiabilité : c'est qu'il y a asymétrie entre la vérité et la fausseté. *En clair, s'il est impossible de prouver empiriquement qu'une proposition est vraie, il est possible en revanche de prouver en toute rigueur qu'elle est fausse.* Ou, dit autrement : nos certitudes ne peuvent jamais porter sur la vérité, mais en revanche, on peut quand même échapper au scepticisme, car il est certain, et même absolument, que certaines propositions sont erronées.

C'est à partir de ce fil directeur qu'on va pouvoir tracer une ligne de démarcation nette entre le discours scientifique et les autres, non scientifiques : tout simplement, une proposition qui ne se prête *a priori* à aucune réfutation possible (par exemple : Dieu existe, ce que nul ne peut réfuter expérimentalement) n'est pas, par définition même, une proposition scientifique. Cela ne signifie nullement pour autant qu'elle soit fausse, mais simplement qu'elle relève d'une autre logique que celle de la science.

Pour comprendre toute la portée de cette simple remarque, il n'est pas inutile de rappeler une anecdote très significative touchant les rapports de Popper avec des discours qu'il a toujours considérés, malgré leurs prétentions, comme non scientifiques, en l'occurrence, la psychanalyse et le marxisme.

Au tout début des années 1920, Popper s'intéresse de près aux travaux d'Einstein sur la relativité. Ils sont alors très contestés. En parallèle, il continue d'étudier le marxisme auquel il n'est pas *a priori* hostile. Lui-même a été tenté par le communisme et, social-démocrate, il est proche des courants « austro-marxistes ». Enfin, il s'intéresse aussi à la psychanalyse et travaille notamment avec Alfred Adler sur des groupes d'enfants. Pourtant, il ne peut, dès cette époque, qu'être frappé par la différence fondamentale d'attitude qui sépare le physicien des autres intellectuels.

D'un côté, marxistes et psychanalystes adoptent sans cesse et jusque dans les moindres détails, une attitude vérificationniste. Il ne s'agit pas de nier que certaines de leurs hypothèses soient plausibles, intelligentes ou séduisantes... et peut-être même « pleines de vérité » ! Simplement, l'expérience est toujours convoquée pour les confirmer, jamais pour tenter de les infirmer. Quel que soit le cas qui se présente, il vient conforter la théorie, de sorte que, pour les marxistes notamment, la lecture des journaux, depuis les titres de la une jusqu'aux petites annonces, fonctionne comme une longue suite de preuves en faveur de leurs convictions. Et si par hasard un événement semble s'opposer aux principes fondamentaux de la doctrine, on invente aussitôt une « hypothèse *ad hoc* », une espèce de rustine pour, comme le dit joliment Popper, « immuniser la théorie », la vacciner contre toutes les atteintes possibles du réel.

Dans le même temps, l'attitude d'Einstein offre une image rigoureusement inverse, celle de la vraie science selon Popper. L'un des aspects de ses découvertes le conduit à supposer que les rayons lumineux décrivent une courbe lorsqu'ils sont dans le champ de gravitation d'un corps massif. Mais, au lieu d'immuniser cette hypothèse contre toute atteinte possible du réel, il imagine lui-même les moyens qui pourraient au contraire la réfuter. Afin de la tester, en effet, il faudrait pouvoir observer le rayon lumineux d'une étoile située dans le champ de gravitation du Soleil. Mais pour cela, on doit attendre une éclipse. Le 29 mai 1919, l'occasion se présente ! Une éclipse de Soleil peut être observée depuis l'Afrique et Einstein prédit précisément que, sur les photos, les étoiles proches du Soleil devraient apparaître décalées de leur position habituelle dans le ciel et il calcule également l'ampleur de ce décalage. Ce faisant, *il prend incontestablement le risque d'être réfuté par les faits sans qu'aucune immunisation ne soit désormais possible.* Il s'expose au danger d'être contredit de manière incontestable par les faits.

Bien qu'audacieuses et réfutables, à la différence des thèses de Freud ou de Marx, les conjectures d'Einstein vont résister à l'épreuve des faits. Cette victoire, sans doute, n'est pas acquise une fois pour toutes, mais elle nous met sur la voie de ce qu'est la science authentique : un ensemble de propositions réfutables ou falsifiables – encore une fois, les deux termes sont ici synonymes – qui ont, jusqu'à preuve du contraire, surmonté des tests de falsification *risqués pour elles.*

De ce simple critère de démarcation, découle déjà toute une série de conséquences importantes sur la différence entre la science et les autres discours. On en retiendra ici deux, particulièrement significatives.

La première, c'est que si la science est d'abord et avant tout un corps de propositions falsifiables, la qualité première d'une conjecture scientifique est d'être risquée, audacieuse et non pas frileuse, *a priori* immunisée contre toute réfutation et toute discussion possible. Or un énoncé ne saurait être réfuté que s'il exclut « courageusement » la possibilité de certains événements dans le monde. C'est en faisant cela qu'il prend le risque d'être contredit par les faits – là où, au contraire, une théorie qui n'exclut aucune éventualité, une hypothèse qui peut tout aussi bien expliquer un événement que son contraire, échappe à toute possibilité d'être mise en cause par le réel.

Cela ne signifie bien sûr pas, Popper n'a cessé de le répéter, que les discours non réfutables soient faux : comment pourrait-on d'ailleurs le prouver puisque, justement, ils sont non falsifiables ! Il est même possible qu'ils comprennent beaucoup d'éléments en quelque façon « vrais », décrivant correctement certaines réalités. Simplement, ils ne peuvent pas faire l'objet d'une *discussion* objective, susceptible d'être arbitrée au final par des tests faisant appel à l'expérience. De plus, ils finissent, à force d'immunisation, par ne plus rien nous apprendre sur le réel : une doctrine qui peut tout vous expliquer n'explique en vérité plus rien.

Afin de rendre le critère de démarcation plus sensible encore, examinons brièvement deux exemples (on pourrait, bien entendu, les multiplier à l'infini) de propositions non scientifiques parce que manifestement non falsifiables.

« Dieu existe » : c'est peut-être vrai, mais on ne peut imaginer aucune expérience, aucun test, qui vienne contredire cette hypothèse. On a essayé souvent, bien entendu, comme Diderot, par exemple, dans sa *Lettre sur les aveugles* rédigée contre la théodicée de Leibniz. Son argument est assez simple à comprendre : s'il existe du mal qui frappe injustement ceux qui n'ont pas péché, c'est qu'il n'y a pas un Dieu juste. Or il existe des aveugles de naissance, donc un Dieu juste n'existe pas… Mais, outre que le raisonnement ne vaut que contre un Dieu juste, même à l'encontre de ce dernier, il ne prouve rien du tout aux yeux du croyant qui peut toujours supposer que « les voies du Seigneur sont impénétrables », point final ! La proposition « Dieu existe » n'est en vérité jamais réfutable et, en ce sens, elle n'est pas scientifique.

« *Toute action humaine est déterminée par des intérêts conscients ou inconscients. Il n'y a donc pas d'acte gratuit ni de libre arbitre* » : ce thème commun à l'utilitarisme et au matérialisme où on le présente volontiers comme un fait scientifique, est à l'évidence tout le contraire : un postulat lourdement métaphysique, à jamais non falsifiable. Comment prouver, en effet, qu'un acte n'aurait pas été déterminé secrètement par des intérêts inconscients puisque, par définition même, ils sont invisibles et impalpables ?

Ni la théologie ni le matérialisme pseudo-scientifique ou philosophique ne sont donc des théories falsifiables.

La seconde conséquence du critère de démarcation poppérien porte sur la conception de l'objectivité mise en œuvre dans les sciences authentiques. Elle mérite aussi tout notre intérêt.

Dans le marxisme et la psychanalyse, c'est souvent, de manière explicite ou implicite, l'idée d'une maîtrise des intérêts inconscients qui sous-tend la théorie de l'objectivité. C'est là, par exemple, l'une des significations du fait que, pour être psychanalyste, il faut en principe avoir été soi-même en analyse. De même, le sociologue marxiste est celui qui a, du moins est-ce là une de ses prétentions les plus constantes, « objectivé » son inconscient social, pris conscience des déterminations et des intérêts qui pèsent sur son travail, sur ses choix, ses engagements, etc. L'objectivité, en ce sens, ne serait pas une propriété intrinsèque de tel ou tel jugement ou proposition, mais le résultat d'un long parcours, d'un travail sur soi, sur son histoire, sa famille, son milieu, ses conditions sociales d'existence, etc.

Il est bien possible que, sur un plan personnel, un tel travail soit utile, et même nécessaire. Ce que prétend Popper, cependant, c'est qu'il n'a rigoureusement aucun rapport avec l'activité scientifique et ce, au moins pour deux raisons.

La première est que si l'objectivité scientifique devait dépendre d'un tel travail sur soi du savant, nous devrions conclure immédiatement au scepticisme : car ce travail est, par définition, une tâche infinie, et même le sociologue ou l'analyste le plus chevronné ne saurait sérieusement prétendre avoir tiré au clair la totalité de son inconscient social ou personnel. Nul ne peut jamais savoir ce qui risque de le déterminer à son insu. C'est même là une simple tautologie. Dans cette perspective, donc, l'objectivité parfaite ne saurait être qu'un idéal, jamais une réalité.

La seconde raison, c'est que, de toute façon, cela n'a aucune importance d'un point de vue scientifique. Car le problème n'est nullement de savoir « d'où parle le savant », d'analyser comment et pourquoi il est parvenu à telle ou telle hypothèse, mais de pouvoir soumettre l'hypothèse en question à la discussion commune et critique. L'objectivité d'un énoncé scientifique ne dépend pas de la façon dont il est produit, mais uniquement de sa « discutabilité ». Le critère de l'objectivité ne se situe pas dans une généalogie plus ou moins soupçonneuse, mais dans ce que Popper nomme une « épistémologie sans sujet », c'est-à-dire une théorie de la science où l'on se soucie comme d'une guigne de l'inconscient des chercheurs. On pourrait certes s'y intéresser d'un autre point de vue : par exemple si l'on se met à réfléchir aux politiques scientifiques, si l'on se demande pourquoi on travaille sur tel objet, dans telle direction plutôt que telle autre, etc. Toutes ces questions sont légitimes et intéressantes. Mais elles ne touchent en rien au problème de l'objectivité scientifique que Popper, dans son livre intitulé *Conjectures et réfutations* définit en ces termes :

« Si on me demandait : comment savez-vous ? Quelle est la source ou la base de votre information ? [...] Je répondrais : je ne sais pas, mon affirmation était une simple conjecture. Peu importe la ou les sources d'où elle a pu sortir – il y en a plusieurs possibles et il se peut que je n'en sois pas conscient. Les questions d'origine ou de généalogie ont de toute façon peu à voir avec les questions de vérité. Mais si le problème que j'ai essayé de résoudre par mon hypothèse vous intéresse, vous pouvez m'aider en la critiquant aussi sévèrement que vous pourrez et si vous pouvez désigner un test expérimental dont vous pensez qu'il pourrait la réfuter, c'est avec joie que je vous y aiderai. »

Où l'on voit que le scientifique n'est ni un journaliste ni un philosophe du soupçon, mais quelqu'un qui, en principe, ne peut pas ne pas être ouvert à la discussion publique. C'est là sans doute un des aspects les plus profonds de la pensée poppérienne : comme Kant, il inscrit l'intersubjectivité, l'éthique de la discussion, dirions-nous aujourd'hui, au cœur de l'objectivité. Dans son « épistémologie sans sujet », on s'intéresse aux énoncés, aux idées et aux conjectures, pas au sexe, à l'origine sociale, ethnique, religieuse ou culturelle de ceux qui les défendent. C'est pourquoi aussi on peut y « tuer les idées sans tuer les hommes », réfuter une hypothèse sans jeter aussitôt l'anathème sur celui qui l'a émise. D'où le double lien qu'entretiennent science et démocratie : non seulement tout le monde est, au moins en principe, à égalité devant la science en ce sens que nul n'est exclu de la discussion par « nature », en raison de sa classe sociale ou de quelque autre appartenance communautaire que l'on voudra. Mais en outre, dans la science comme dans une vraie démocratie, rien n'échappe non plus, sauf la sphère privée du « sujet », justement, à la discussion publique…

Il n'est donc pas inintéressant, pour compléter le tableau, d'en présenter pour ainsi dire l'envers, d'exposer de manière aussi objective et impartiale que possible le point de vue dont on vient de voir comment et pourquoi Popper s'évertuait à le critiquer, à savoir le parti pris du soupçon ou, comme disait Nietzsche lui-même, de la « généalogie ». Ici, on ne se demande plus *ce que dit* l'interlocuteur, mais *d'où il parle* et *qui il est* pour tenir le discours qu'il tient. Perspective, donc, rigoureusement inverse à celle que défend Popper.

La généalogie chez Marx, Nietzsche et Freud

En effet, c'est très exactement la conception de la science que nous venons de voir à l'œuvre chez Popper, que les « philosophes du soupçon » se sont de tout temps efforcés de « déconstruire » en proposant une autre conception de la pensée, de la *theoria*, entendue comme activité « généalogique ». Nous l'avons déjà évoquée à propos de Nietzsche, mais je voudrais y revenir maintenant de manière plus approfondie afin notamment de mieux situer la généalogie nietzschéenne par rapport à celle des autres grands philosophes du soupçon que sont Marx et Freud. Et comme ils ont à bien des égards influencé la philosophie contemporaine, au moins jusqu'à une date récente, il n'est pas inutile d'avoir quelques idées claires à leur sujet.

Qu'il s'agisse des « idéologies » bourgeoises pourfendues par Marx, des « idoles » de la métaphysique tournées en dérision par Nietzsche ou de la critique de la religion comme « névrose obsessionnelle » de l'humanité chez Freud, le geste est, dans un premier temps du moins, similaire : il s'agit toujours d'en finir avec les illusions d'une humanité qui transcenderait la « réalité matérielle » (celle de l'histoire pour Marx, de la vie chez Nietzsche, ou des pulsions dans la psychanalyse freudienne) au sein de laquelle elle est en vérité de part en part immergée.

Une différence cruciale, toutefois, distingue l'attitude intellectuelle de Nietzsche d'un côté, et celle de Marx et de Freud de l'autre – une différence qui va permettre de comprendre dans quelle mesure son matérialisme et, par là même sa critique des illusions de la transcendance, est infiniment plus radical encore que celui de ses deux pairs en philosophie du soupçon.

C'est que Marx et Freud, quoi qu'on ait pu en dire ici ou là, sont encore largement des héritiers des

Lumières. Je veux dire par là que leur prétention à la vérité, à plus de vérité même que toutes les théories antérieures à la leur, s'inscrit encore dans le cadre d'une visée *scientifique* ou rationaliste. Pour penser l'irrationnel, ils ne veulent pas abandonner la raison, mais plutôt l'appliquer à ce qui est ou semble tout autre qu'elle : il y a une logique des idéologies et de leur production, de même qu'il y a une logique à l'œuvre dans l'émergence des lapsus, des rêves, des pathologies névrotiques ou psychotiques. Même si les vérités qu'ils découvrent ou croient découvrir se veulent révolutionnaires – ce dont on ne doutera pas ici –, ils restent l'un comme l'autre convaincus de fonder une science nouvelle : science de l'histoire et de l'économie pour Marx, science de l'inconscient et de la vie psychique pour Freud. Même s'ils prétendent révolutionner la sociologie ou la médecine, Marx et Freud n'en restent pas moins sociologue et médecin. Entre l'idéologie – c'est-à-dire les discours illusoires – et la science authentique, il existe bel et bien à leurs yeux une ligne de démarcation aussi nette qu'irréductible.

Pour des raisons que nous avons évoquées dans le premier chapitre de ce livre, la situation de la généalogie nietzschéenne est nécessairement tout autre. Sa critique de la science et, plus généralement, de toutes les figures de la volonté de vérité comme émanation typique des forces réactives ne lui permet pas de réassumer aussi naïvement que Marx et Freud une position – fût-elle aussi sophistiquée et inédite que l'on voudra – de « scientifique ». La déconstruction de la vérité à laquelle se livre toute l'œuvre de Nietzsche ne peut tout de même pas, sans contradiction flagrante, recevoir à son tour le statut d'une vérité scientifique !

C'est donc de ce point de vue, pour préciser exactement le sens et le statut de la philosophie de Nietzsche, qu'une comparaison avec les autres philosophies du soupçon, et notamment avec la psychanalyse, peut s'avérer très éclairante.

En principe, un « bon psychanalyste » se doit d'avoir lui-même fait une analyse. Il doit – en admettant par hypothèse qu'une telle formule ait un sens – avoir suffisamment « tiré au clair » sa propre histoire et ses rapports avec son propre inconscient pour pouvoir entendre les autres. Il est un sujet supposé savoir au moins un peu sur lui-même et les interprétations qu'il donne des divers symptômes aperçus chez ses patients doivent, autant qu'il est possible, posséder un certain rapport au « vrai ». Et, pour dévoiler la « vérité des autres », ou tout au moins en comprendre une part, il faut, autant qu'il est possible, s'être à soi-même quelque peu dévoilé. En filigrane, ce qui se cache toujours plus ou moins derrière une telle conviction, même si l'explicitation en est rarement faite, c'est la conviction implicite qu'il existe malgré tout un lien entre l'idée d'une certaine autonomie de la subjectivité (celle qu'on suppose chez un psychanalyste « chevronné ») et la notion d'objectivité (celle qu'on attribue à ses interprétations). En demandant au futur psychanalyste de se faire lui-même analyser, on postule qu'il doit parvenir, grâce à sa propre analyse, à être un sujet, sinon parfaitement libre et souverain, du moins un peu plus libéré et conscient de lui que ses propres patients – de sorte que les interprétations qu'il formule, sans prétendre peut-être à la « vérité absolue », n'en témoignent pas moins d'une certaine prétention à s'approcher un tant soit peu du vrai.

La perspective nietzschéenne est beaucoup plus radicale. Lorsque Nietzsche affirme qu'« il n'y a pas de faits, mais seulement des interprétations », il n'hésite pas à ajouter qu'il n'y a à proprement parler ni « sujet » qui interprète ni « objet » interprété. La formule peut sembler être une figure de style, elle peut même, à la limite, paraître absurde. Elle ne l'est pas. Voici ce qu'elle signifie : le généalogiste, comme le psychanalyste (ou comme le critique marxiste des idéologies), est bien celui qui interprète les croyances, les idoles, les illusions (de la transcendance), bref, d'une manière générale les *symptômes*, en les rapportant aux processus inconscients qui les ont engendrés. Mais, à la différence du psychanalyste (du moins si ce dernier n'est pas nietzschéen et s'il pense un tant soit peu que sa discipline est bien en quelque façon une science), le généalogiste admet pleinement l'idée que son interprétation est elle-même de part en part produite par son propre inconscient, qu'elle n'est qu'un reflet, sans aucune vérité supérieure, de ses propres forces vitales et que ces dernières sont à jamais irréductibles à la conscience qu'il peut en avoir, qu'elles lui échappent, par conséquent, tout autant à lui-même qu'elles échappent à ceux qu'il prétend interpréter.

Dans ces conditions, qui sont inévitablement celles de la généalogie nietzschéenne en raison même de ses présupposés antiscientifiques, l'interprétation du généalogiste ne saurait avoir aucune prétention *scientifique* à la vérité. Tout au contraire, en tant que produit des forces inconscientes qui traversent le généalogiste tout autant que ceux dont il pourfend les illusions, cette interprétation est à son tour interprétable par un autre généalogiste dont les interprétations sont de nouveau interprétables selon un processus qui peut se répéter à l'*infini*. Il y a donc, dans la prétention métaphysique à vouloir juger le monde d'ici-bas comme si nous pouvions le surplomber et nous affranchir nous-mêmes des forces vitales qui nous font être ce que nous sommes, ou mieux, que nous sommes tout simplement, un véritable cercle vicieux : comprendre ce cercle, c'est aussi comprendre que nul énoncé philosophique, fût-il celui de Nietzsche lui-même, ne saurait échapper à ce qui l'engendre (à la vie), qu'il n'y a pas, en quelque sens que ce soit, de « méta-langage », de vérité qui surplomberait le réel.

C'est très exactement cela que veut dire Nietzsche quand il déclare, dans *Le Crépuscule des idoles,* qu'« une condamnation de la vie de la part du vivant n'est jamais que le symptôme d'une espèce de vie déterminée ». Cela signifie que nos évaluations, nos points de vue, nos interprétations du monde ne peuvent jamais être fondés par une quelconque référence à un savoir, au sens propre, *absolu* (non relatif à la vie). Ils ne font jamais, au contraire, qu'exprimer notre état vital – en quoi l'on voit que Nietzsche est réellement un matérialiste radical : rien ne transcende si peu que ce soit la matérialité du vivant. Et c'est aussi en ce sens qu'il faut comprendre ce passage du *Gai Savoir* intitulé « Notre nouvel infini », selon lequel « le monde, pour nous, est redevenu infini en ce sens que nous ne pouvons pas lui refuser la possibilité de prêter à une infinité d'interprétations » dont aucune ne saurait jamais se clore dans l'illusion d'une vérité ultime.

Dans la philosophie moderne, le relativisme sceptique, la croyance en l'impossibilité de parvenir à une vérité objective, avait toujours pris la forme d'un « subjectivisme » : s'il était impossible de parvenir à l'objectivité, c'était parce que la subjectivité de l'individu, justement, était pour ainsi dire à ce point affirmée qu'elle en venait à rendre impossible tout espoir de trouver des critères acceptables de l'objectivité (du beau, de la vérité, de la moralité, etc.). Rien de tel chez Nietzsche. Son scepticisme, si le terme convient encore, prend la forme d'un perspectivisme à la limite sans sujet ni objet, d'une théorie de l'interprétation dans laquelle seule existe l'interprétation en tant que telle, sans espoir d'une vérité scientifique, indépendamment de toute idée d'un sujet qui interpréterait autant que d'un objet interprété.

C'est presque impensable, et je ne suis pas sûr d'ailleurs que Nietzsche ne cède pas à la conviction d'avoir, comme on dit, « raison » contre les illusions de la métaphysique. Mais c'est en tout cas cette conception de la généalogie qu'il tente de penser – en quoi il n'est pas un philosophe du soupçon tout à fait comme les autres.

Pour lui, comme on vient de le voir, la philosophie ne saurait jamais être une science. À vrai dire, c'est là une conviction qu'il partage avec la plupart des philosophes qui savent bien, même lorsqu'ils parlent de *theoria*, que cette dernière n'a aucune prétention à proprement parler scientifique. Les grandes thèses philosophiques ne sont ni vérifiables ni falsifiables expérimentalement. Est-ce que, par exemple, le *cosmos* est harmonieux et bon, comme le pensent les stoïciens, ou au contraire chaotique et neutre, comme l'affirment les épicuriens et les atomistes ? Impossible à dire, d'un point de vue scientifique, car aucune expérimentation ne peut vraiment confirmer ou invalider le propos des philosophes.

Certains « scientistes » – qui ne réfléchissent pas plus loin que le bout de leur nez – en concluent parfois que la philosophie est un discours creux. C'est qu'ils n'ont rien compris au statut qui est le sien. Voilà pourquoi il peut être fort utile de réfléchir de manière rigoureuse à la différence entre philosophie et science. Nous avons vu ce qu'en disait Popper, dans le sillage du rationalisme critique fondé par Kant. Mais c'est aussi en poursuivant et en explicitant l'œuvre de Kant que Heidegger a entrepris de s'attaquer au même problème, bien que de façon très différente de Popper. Je voudrais, même si c'est parfois très abstrait, présenter le plus simplement possible les conclusions auxquelles il est parvenu grâce à son inspiration kantienne. Bien qu'aux antipodes de celles de Popper, elles me semblent aussi profondément justes et utiles.

Theoria *philosophique et théorie scientifique selon Heidegger : la question de l'ontologie*

La première conclusion de Heidegger – conclusion que personne, à ce qu'il me semble, ne conteste –, c'est que la philosophie, à la différence des sciences, ne porte sur aucun objet particulier. Dans son vocabulaire, qui est assez loin de la langue commune parce qu'il reprend souvent des concepts qui viennent du grec ancien, Heidegger dit que la philosophie ne porte sur aucun « étant » en particulier. La sociologie, par exemple, porte bien sur un objet précis, la société, la biologie sur les organismes vivants et, de la même façon, toutes les sciences exactes ou humaines possèdent bien un objet qui les définit et à l'étude duquel elles se limitent : un mathématicien qui étudie les nombres n'est pas un historien et lui-même ne se confond pas avec un physicien, parce que les objets – les choses réelles, les « étant » – qu'ils étudient ne sont tout simplement pas les mêmes.

En revanche, quand les stoïciens, par exemple, nous parlent du *cosmos* en général, ils ne s'intéressent à aucun étant, à aucun objet particulier, mais à la totalité de l'Être en général. En quoi, selon Heidegger, la philosophie est d'abord et avant tout, du moins dans sa partie théorique qui seule nous intéresse ici – nous ne parlons donc ni de la morale ni de la sotériologie –, une ontologie, une théorie de l'être, non une théorie de telle ou telle classe d'objets ou d'étant particuliers.

Plus précisément, et nous faisons là un pas de plus, la *theoria* philosophique s'interroge sur les caractéristiques communes à tous les « étant », à tous les objets particuliers, et ce, avant même que nous en ayons une expérience concrète (cet « avant » ayant une signification logique et non chronologique : il va de soi que nous commençons, heureusement, à voir des objets avant de faire de la philosophie).

Cela signifie qu'avant même d'avoir vu ou touché tel ou tel objet particulier, je puis savoir, entièrement *a priori*, qu'il doit posséder un certain nombre de propriétés sans lesquelles il ne saurait être tenu pour un objet. Par exemple, avant d'avoir vu une table, une chaise ou un arbre, je sais qu'ils auront en commun de se situer dans un espace et dans un temps, d'occuper une certaine portion de cet espace, d'être dans une certaine mesure identiques à eux-mêmes (c'est-à-dire d'avoir une certaine permanence à travers les différentes modifications qu'ils subissent au fil du temps), de posséder une raison d'existence ou, si l'on veut, une cause, etc.

La philosophie peut donc bien, de ce point de vue théorique, se définir comme une *ontologie*, si l'on donne du moins à ce terme le sens très précis et, il est vrai assez inhabituel, que lui donnent parfois Kant, et, à sa suite, Heidegger, *de définition* a priori *de l'objectivité de l'objet*, de ce qui constitue *l'essence de l'objectivité en général* – ce que Heidegger désigne encore, dans le grand livre qu'il a consacré à Kant, sous l'expression suggestive de *pré-compréhension ontologique* = ce que je sais de l'objet avant de l'avoir présent devant moi.

Si l'on veut se faire une idée de ce que ces termes très abstraits signifient, l'un des biais les plus simples consiste à se souvenir du b-a ba de la théorie des ensembles. Cela permet de rendre tout à fait intelligible le sens en lequel est pris ici le terme d'ontologie. On sait en effet que, pour définir un ensemble en mathématiques, il suffit d'énoncer une propriété à laquelle vont correspondre un certain nombre d'éléments (ceux, précisément, qui se classent sous cette propriété). Or, si je veux définir *a priori* un ensemble vide, c'est-à-dire un ensemble auquel aucune réalité ne correspond, il suffit que j'énonce une propriété qui nie explicitement un des critères indiqués par l'ontologie comme constitutifs de la définition de *toute* objectivité. Ainsi, par exemple, si j'ai admis au niveau de l'ontologie qu'un objet, pour être un objet, devait être identique à lui-même, il suffit que je nie le principe d'identité, que je pose par exemple comme propriété définissant mon ensemble la propriété « ne pas être identique à soi », ou « x différent de x », et j'aurai avec certitude défini *a priori* un ensemble dans lequel aucun élément ne peut venir se ranger.

Qui comprend cet exemple comprend nécessairement aussi ce que l'on entend ici par ontologie. Si l'on *réfléchit* à l'opération par laquelle cette définition de l'ensemble vide a été obtenue, on verra qu'elle suppose en effet, fût-ce *implicitement*, que je possède une idée, un critère des propriétés sans lesquelles un objet ne pourrait être représenté comme existant. Et ce critère, on l'accordera, je le possède tout à fait *a priori* : nul besoin en effet, pour savoir qu'à la propriété *x différent de x*, aucun élément ne correspond, de prendre un par un les objets empiriques pour voir si, d'aventure, il s'en trouverait un qui correspondrait à cette exigence.

Cette définition générale de l'objectivité de l'objet (de l'« étantité de l'étant », comme dit Heidegger) apparaît ainsi comme le premier et principal *objet* de toute philosophie. Sa première tâche est en effet de décrire et d'énumérer l'ensemble de ces critères sans lesquels un objet ne saurait être pensé comme tel. C'est ce travail qu'entreprend déjà Platon lorsqu'il distingue l'idée (ce qui est stable, identique à soi) du sensible (sans cesse variable et changeant), comme ce qui est pleinement à ce qui est moindre être ; ou Aristote lorsqu'il énonce sa table des « catégories ». Mais c'est sans doute avec Kant que cette énumération prétend prendre une forme véritablement *systématique.* Sans entrer ici dans le détail des résultats de ce travail ontologique, on peut dire que les deux critères fondamentaux retenus par l'ensemble de la philosophie moderne comme essentiels à toute définition de la réalité du réel sont le *principe d'identité* et le *principe de raison.*

Une fois décrite cette ontologie, il est encore possible de s'interroger sur son origine, c'est-à-dire sur les raisons pour lesquelles nous pensons l'objectivité en général précisément de telle façon et non de telle autre, selon ces critères (identité, raison) et non pas selon d'autres ; sur les motifs aussi qui font, semble-t-il, que ces critères semblent être plus ou moins communs à l'humanité (communauté qu'atteste par exemple, si l'on en demandait un indice, la capacité des sciences qui utilisent ou ont utilisé ces principes à être universellement communiquées et discutées), et fondent ainsi une perspective éthique, celle de la communication intersubjective. On peut dire qu'à cette question de l'origine des structures ontologiques, deux types de réponses ont été apportés.

La première consiste à chercher une raison, un *fondement* à cette structure, donc, en quelque sorte, à la redoubler en faisant fonctionner sur elle un de ses éléments constitutifs (le principe de raison). Ce fondement a habituellement été trouvé en Dieu, créateur des « vérités éternelles » de l'ontologie. De là le terme que Kant, puis Heidegger ont utilisé pour désigner ce type de réponse : « onto-théo-logie », puisque c'est sur une certaine théologie, sur une pensée de Dieu comme *fondement* des vérités philosophiques, que repose l'explication de cette communauté de structure manifestée par l'ontologie. En ce sens, la tentative « matérialiste » de déduire les catégories ontologiques d'un fondement matériel, par exemple d'expliquer l'apparition du principe d'identité à partir d'un « rapport social » tel que le troc, entre bien dans le mécanisme de l'onto-théologie, même si elle en offre une version sécularisée.

Ce mode de fonctionnement de l'onto-théologie a été dénoncé pour la première fois par Kant puis, d'une façon assez analogue, par Heidegger. Sans entrer dans le cœur de cette critique, on peut quand même énoncer assez simplement son principe : il consiste à dénoncer l'onto-théologie comme circulaire en montrant comment, pour fonder l'ontologie, elle est contrainte d'utiliser déjà des principes qui sont ceux de l'ontologie, de sorte que la fondation tourne au cercle vicieux.

De là la seconde « réponse » apportée à la question de l'origine de l'ontologie, réponse qui, chez Kant, puis chez Heidegger (on ne soulignera jamais assez combien Heidegger a lu et relu Kant !), consiste à déconstruire la question elle-même. Elle explicite sa circularité et conclut, au terme de cette déconstruction, à l'impossibilité même de trouver un véritable fondement de l'ontologie et d'apporter ainsi une réponse définitive à la question de l'origine ultime de nos structures philosophiques de pensée.

On notera encore qu'aucune de ces deux questions ne relève en rien d'une analyse scientifique. La science suppose en permanence les structures ontologiques que la philosophie tente de mettre au jour. Elle ne les questionne pas ni ne cherche, sauf de temps à autre, comme au passage, à les expliciter. Pour prendre une métaphore simple, mais parlante, on peut se représenter un jeu d'échecs : les sciences en sont comme les différentes parties, la philosophie, du moins dans sa partie théorique, comme l'analyse réflexive qui tenterait de dégager les règles du jeu pour les expliciter et tenter de penser la question de leur origine.

Avec Kant et Heidegger, qui en suit sur ce point l'enseignement, nous comprenons enfin pourquoi l'idée d'une fondation ultime des valeurs est impossible, voire aberrante. Comme un poisson qui ne saurait sortir de son bocal pour le contempler de l'extérieur, nous ne pouvons sortir de notre pensée pour en expliquer l'origine comme du dehors. Que l'on se place d'un point de vue matérialiste, pour tenter d'élaborer, comme le font par exemple aujourd'hui nombre de biologistes, des « fondements naturels de l'éthique », de l'art et de la science, ou que l'on souhaite maintenir en vie l'ancien point de vue de la théologie, qui enracine toutes les activités de l'esprit humain dans l'Être suprême, l'entreprise qui vise à dégager une fondation ultime est illusoire. Nous pouvons certes décrire les valeurs, le vrai, le beau, le bien, et le sentiment d'absolu, parfois, qu'elles nous inspirent. Nous pouvons en faire, comme le dit Husserl, cet autre puissant disciple de Kant qui fut le maître de Heidegger, une phénoménologie. Il nous est cependant impossible de les fonder absolument. Voilà ce que nous apprennent à mes yeux de plus profond les réflexions de Kant et de Heidegger sur la différence entre philosophie et science.

II – ÉTHIQUE APPLIQUÉE : LES DROITS DE L'ANIMAL SELON LES UTILITARISTES. L'ÉDUCATION PAR LE TRAVAIL SELON ROUSSEAU ET KANT

Depuis le XVIIIe siècle, l'univers occidental est dominé presque sans partage par deux grandes visions morales du monde : d'un côté l'utilitarisme, qui règne dans l'univers anglo-saxon et sous-tend, encore aujourd'hui, la quasi-totalité des débats éthiques et juridiques aux États-Unis, et de l'autre le kantisme que nous retrouvons, sous des formes diverses, dans la plupart des traditions républicaines de la vieille Europe. Ces deux visions morales du monde ont quelques traits communs : toutes deux, par exemple, sont individualistes et reconnaissent les droits de la personne. Toutes deux, aussi, sont universalistes en ce sens qu'elles visent non seulement le bien commun, mais considèrent aussi les êtres humains comme moralement égaux entre eux. Par ailleurs, elles divergent fondamentalement sur un point essentiel : pour les utilitaristes, ce qui fonde la dignité morale d'un être ou, pour parler plus concrètement encore, ce qui doit nous inciter à le respecter, c'est le fait qu'il possède des « intérêts », c'est-à-dire, en clair, qu'il soit susceptible d'éprouver du plaisir et de la peine, qu'il soit capable, par là même, de souffrir. Pour les kantiens, cette considération n'est pas négligeable, certes, mais ce qui fonde la dignité morale d'un être et appelle le respect vient d'ailleurs et tient à une qualité que seul l'humain possède véritablement : la liberté, entendue justement comme la capacité à mettre de côté ses intérêts égoïstes pour pouvoir, le cas échéant, sinon se sacrifier, du moins se mettre entre parenthèses pour s'occuper d'autrui.

Plutôt qu'un exposé purement théorique, j'ai préféré, en vue de donner au lecteur une idée substantielle de ces points de vue opposés, aborder deux exemples d'éthique appliquée : celui du droit des animaux, qui constitue un aspect essentiel de la littérature utilitariste ; celui de l'éducation qui, dans la tradition républicaine inspirée par Kant ou, à tout le moins proche de ses idées, a pris une dimension d'une importance inestimable. On pourra ainsi tout à la fois comprendre les principes de ces deux éthiques humanistes, mais aussi en saisir les divergences de fond en même temps que les prolongements possibles sur un plan tout à fait pratique.

L'utilitarisme anglo-saxon

L'utilitarisme est sans aucun doute la doctrine philosophique qui a connu le plus de succès dans le monde anglo-saxon depuis le XVIIIe siècle. Encore aujourd'hui, un nombre impressionnant de philosophes contemporains, notamment de moralistes, se réfèrent à cette philosophie. Pour cela, il faut bien qu'il y ait en elle quelque chose de puissant qu'il faut tâcher de comprendre, même si l'on n'en partage pas les principes.

On considère généralement que le père fondateur de l'utilitarisme est Jeremy Bentham (1748-1832). Il sera suivi, jusqu'à nos jours, par une lignée ininterrompue de philosophes qui ont tenté de prolonger et d'approfondir ses idées.

Commençons par écarter un malentendu, malheureusement très répandu : l'utilitarisme n'a rien à voir avec une justification de l'égoïsme, avec une défense et illustration des intérêts particuliers contre l'intérêt général. Sinon, on ne voit d'ailleurs pas en quoi il pourrait constituer à proprement parler une morale. Il n'a jamais défendu la thèse qu'on lui prête parfois, selon laquelle tout ce qui servirait mes intérêts personnels serait forcément bon ! L'utilitarisme se présente au contraire comme une morale « altruiste », c'est-à-dire une morale qui prend en compte *les autres* et se soucie du bien-être de tous.

En fait, son intuition fondatrice pourrait s'énoncer de la façon suivante : *une action est bonne quand elle tend à réaliser la plus grande somme de bonheur dans l'univers pour le plus grand nombre possible d'êtres concernés par cette action. Elle est mauvaise dans le cas contraire, c'est-à-dire quand elle tend à augmenter la somme globale de malheur dans le monde.* On voit donc que le postulat initial n'a rien d'égocentrique et qu'il doit même entrer directement en conflit avec des comportements qui se réduiraient au seul souci de soi : *aux yeux des utilitaristes, il existe, en effet, des cas où l'on peut exiger le sacrifice individuel au nom du bonheur collectif,* la nature exacte de tels conflits constituant d'ailleurs l'un des principaux problèmes de la théorie utilitariste.

Cela précisé, on comprend qu'à partir d'une telle conviction, l'utilitarisme en vienne à adopter sur la question cruciale de l'humanisme, celle de la différence entre l'humain et l'animal, une position opposée à celle de Rousseau et de Kant. Nous avons vu dans la première partie de ce livre que, pour ce dernier, ce qui fait de l'homme un « être moral », un être qui mérite d'être respecté et protégé, notamment par ces fameux droits que formulera la grande Déclaration de 1789, c'est sa liberté entendue comme une capacité de s'arracher à la nature pour entrer dans la double historicité de l'éducation et de la culture. La morale que Rousseau inspire à Kant et aux grands républicains français est donc une morale du désintéressement. Certes, elle ne méprise nullement le bonheur, comme quelques commentateurs superficiels l'ont parfois cru, mais elle tient qu'il faut, dans certaines circonstances, lorsqu'il est contraire à ce que l'on *doit moralement faire,* savoir le mettre de côté et agir de façon désintéressée.

L'utilitarisme pense rigoureusement l'inverse : pour lui, la recherche du bonheur doit l'emporter sur toute autre considération. C'est elle qui constitue à la fois le principe premier et le but ultime de la morale. Dans cette perspective, si l'on admet comme postulat que la quantité de bonheur sur cette terre est le seul et unique critère éthique, il est donc tout à fait normal qu'on en vienne à étendre la protection du droit *à tous les êtres susceptibles de souffrir, qu'ils soient ou non des personnes humaines*. Car ce qui importe au fond, c'est bien cette somme globale des joies et des peines dans le monde, et non le fait qu'elles soient les joies et les peines de telle ou telle catégorie d'êtres doués ou non de telle ou telle capacité de liberté ! Dans ces conditions, qu'il s'agisse d'un humain ou d'un animal importe peu, puisque ce que la morale utilitariste nous invite à combattre, c'est la souffrance ou le malheur *sous toutes leurs formes*.

C'est là ce qu'exprime parfaitement un petit texte de Jeremy Bentham qui formule de manière ramassée et claire cette idée fondatrice de toute la pensée utilitariste. Prêtons attention aux termes qu'emploie Bentham. Notons, par exemple, qu'il parle d'entrée de jeu du « reste du règne animal » pour désigner ce que les utilitaristes d'aujourd'hui nomment les « animaux non humains » : façon de dire, à l'inverse de Kant et de Rousseau notamment, que l'homme est un animal comme les autres et que l'espèce humaine fait partie intégrante du règne animal dans son ensemble. Remarquons aussi qu'il a été écrit juste après la Révolution française, au moment où la France vient de libérer les esclaves noirs, alors qu'on continue, selon l'expression consacrée, à les « traiter comme des animaux » dans les territoires britanniques :

Peut-être le jour viendra-t-il où le reste du règne animal retrouvera ces droits qui n'auraient jamais pu lui être enlevés autrement que par la tyrannie. Les Français ont déjà réalisé que la peau foncée n'est pas une raison pour abandonner sans recours un être humain aux caprices d'un persécuteur. Peut-être finira-t-on un jour par s'apercevoir que le nombre de jambes, la pilosité de la peau ou l'extrémité de l'os sacrum sont des raisons tout aussi insuffisantes d'abandonner une créature sensible au même sort. Quoi d'autre devrait tracer la ligne de démarcation ? Serait-ce la faculté de raisonner, ou peut-être la faculté du langage ? Mais un cheval parvenu à maturité ou un chien est, par-delà toute comparaison, un animal plus sociable et plus raisonnable qu'un nouveau-né âgé d'un jour, d'une semaine ou même d'un mois ! Mais supposons qu'ils soient autrement, à quoi cela nous servirait-il ? La question n'est pas : peuvent-ils raisonner *? Ni : peuvent-ils* parler *? Mais bien : peuvent-ils* souffrir *?*

L'argument central est clair : les différentes qualités invoquées d'ordinaire pour valoriser l'humain au détriment de l'animal (la raison, le langage) ne sont pas pertinentes. De toute évidence, en effet, nous n'accordons pas plus de droits à un homme intelligent qu'à un sot, ni à un bavard qu'à un aphasique (quelqu'un qui a perdu la faculté de parler). Le seul critère moral signifiant ne peut être, aux yeux de Bentham, que la capacité d'éprouver du plaisir et de la peine. Dès lors qu'un être peut souffrir, et, contrairement à ce que pensait Descartes, à l'évidence les animaux souffrent, alors nous avons le devoir moral de lui épargner autant que possible les souffrances.

Les conséquences d'un tel principe ne sont ni simples ni évidentes. Par exemple, la plupart des utilitaristes d'aujourd'hui sont végétariens et ils sont généralement hostiles aux expériences faites dans les laboratoires sur les animaux, mais pas tous, loin de là : car on peut, dans une certaine mesure, faire des expériences sur des animaux et même les tuer sans les faire souffrir *inutilement, c'est-à-dire sans profit pour l'augmentation de la somme de bonheur dans le monde*, et si de telles actions sont susceptibles au total de diminuer les souffrances, elles peuvent être légitimes. Voilà pourquoi on doit bien comprendre que la morale utilitariste va se présenter concrètement, non comme une doctrine simple à appliquer, mais comme un difficile « calcul des plaisirs et des peines » qui considère les cas pratiques avec beaucoup de soin.

Il faut ensuite observer que cette vision morale du monde s'inscrit dans une perspective qui compte sur les progrès de la démocratie, c'est-à-dire sur les progrès de l'« égalité des conditions », pour que, après les femmes auxquelles on n'accordait pas le droit de vote il y a peu encore, après les Noirs d'Afrique qu'on avait réduits en esclavage, les animaux entrent à leur tour dans la sphère du droit. Il faut ici rappeler aux jeunes générations – car cela leur semble à juste titre inimaginable – que, dans certains pays d'Europe, notamment dans certains cantons de la Suisse, les femmes étaient encore privées du droit de vote jusqu'à la toute fin des années 1970 ! Ce qui signifie que ce qui nous semble scandaleux, et même grotesque, aujourd'hui pouvait aller de soi à peine quelques années plus tôt, et réciproquement : ce qui nous paraît encore insensé, par exemple : accorder des droits aux animaux, sera peut-être l'évidence de demain.

Nous pouvons maintenant résumer la pensée utilitariste par les trois points fondamentaux suivants : 1) l'homme n'est pas le seul être à posséder des droits, mais doivent en bénéficier tous les êtres susceptibles d'éprouver des plaisirs et des peines. L'utilitarisme n'est donc pas une morale centrée exclusivement sur l'homme, il n'est pas un « anthropocentrisme » ; 2) le but ultime de l'activité morale et politique est la maximisation de la somme de bonheur dans le monde, et non primordialement le respect de la liberté (sauf, bien entendu, si cette liberté est un élément de notre bonheur) ; 3) le droit a pour finalité première de protéger des intérêts, quel que soit le sujet dont ils sont les intérêts (toutes choses égales par ailleurs, peu importe en effet qu'il s'agisse des intérêts d'un Blanc ou d'un Noir, d'un homme ou d'une femme, d'un humain ou d'une souris, etc.).

À la fin du XIXe siècle, un livre écrit par un des plus grands disciples de Bentham, Henry Salt, *Les Droits de l'animal dans leur rapport avec le progrès social*

(1892), va relancer la discussion en précisant les thèses de l'utilitarisme et en les appliquant à des questions très concrètes : reconnaissance du droit des animaux sauvages, critique de l'abattage, de la chasse, de la mode des cuirs, des plumes ou des fourrures, de l'expérimentation sur les animaux, etc. Voici la première ligne de son ouvrage, qui en donne tout à fait le ton : « Les animaux ont-ils des droits ? Sans aucun doute si les hommes en ont... » Car, pour Salt, comme pour Bentham, les droits sont simplement des protections venant de l'État en direction d'êtres susceptibles de souffrir. Par conséquent, si les hommes ont des droits, il n'y a aucune raison pour que les animaux n'en aient pas *puisque à l'évidence, ils souffrent autant que les humains.*

Aujourd'hui, un philosophe australien, Peter Singer, prolonge ce type d'argumentation dans son livre intitulé de façon lui aussi significative *La Libération animale* (le titre évoque bien sûr les mouvements de libération des femmes). Comme chez Bentham ou Salt, c'est la capacité à éprouver du plaisir ou de la peine qui fait toute la dignité d'un être et le constitue, au sens large, en personne morale. Dans le langage de Singer, on dira que cette capacité se traduit par le fait de « posséder des intérêts ». Là encore, il n'est pas inutile de préciser un peu le type d'argumentation et de langage que manient en permanence les utilitaristes. Voici, à titre d'échantillon, un passage remarquable du livre de Singer :

« La capacité de souffrir et d'éprouver du plaisir est un *prérequis pour avoir des intérêts*, une condition à remplir avant de pouvoir parler sensément d'intérêts. Il serait insensé de dire qu'il n'était pas dans les intérêts du caillou, par exemple, de recevoir des coups de pied tout le long du chemin de l'écolier. Une pierre n'a pas d'intérêts parce qu'elle ne peut pas souffrir… Une souris a, en revanche, intérêt a ne pas recevoir de coups de pied tout le long du chemin, parce qu'elle en souffrirait… C'est ainsi que la limite de la sensibilité (un terme sténographique commode bien qu'imparfait pour désigner la capacité de souffrir et/ou de ressentir du plaisir) constitue la seule limite valable au respect qu'il nous faut accorder aux intérêts des autres. Il serait arbitraire de fixer cette limite au moyen d'une autre caractéristique telle que l'intelligence ou la rationalité. »

Le raisonnement a le mérite d'être clair : si le droit est, au sens large, le système par lequel les intérêts sont reconnus et respectés, les rochers et les arbres en sont exclus, mais pas les souris ni tous les autres animaux.

Comme nous l'avons vu dans le premier chapitre de ce livre, ce n'est pas le même critère que retient la morale républicaine telle qu'elle est notamment élaborée par d'autres grands philosophes du XVIIIe siècle, à commencer par Kant : pour ce dernier, c'est *au contraire la faculté de s'arracher aux intérêts (la liberté de ne pas être totalement déterminé par eux) qui définit la dignité et fait du seul être humain une personne morale susceptible d'avoir des droits.* Aux yeux de Kant, ce ne sont en effet ni la raison ni le langage (sur ce point, il serait d'accord avec Bentham) qui font d'un être quel qu'il soit un être de droit, possédant une dignité, un être méritant respect et protection. Ce qui lui donne sa vraie dignité, c'est sa *liberté* dont nous avons vu pourquoi Rousseau la nommait aussi « perfectibilité » et Kant « bonne volonté », c'est-à-dire la capacité à agir de façon *désintéressée.* C'est cette faculté qui fait de l'être humain et de lui seul un être capable de culture, de politique et de morale. Cela ne signifie nullement qu'il faille martyriser les animaux, ni même être indifférent à leurs souffrances. On doit au contraire les protéger et nous avons sans doute des devoirs envers eux, notamment celui de leur éviter des souffrances inutiles. Simplement, ils ne font pas partie, pour Kant, du même règne que nous, du même monde moral, celui de la réciprocité des devoirs ou, comme diront les disciples de Kant, de l'« intersubjectivité ».

Cela ne tranche pas le débat, bien entendu, mais il faut noter, quelle que soit l'affection que l'on porte aux animaux, que si nous nous occupons parfois de protéger les panthères, les ours ou même les requins, la réciproque est, pour le moins, assez rare. C'est aussi qu'ils manquent cruellement d'éducation. Pour des raisons dont nous allons voir dans un instant qu'elles ne sont peut-être pas aussi anecdotiques que le pensent les utilitaristes...

L'éducation selon Kant : la naissance des méthodes actives et la valorisation « antiaristocratique » du travail

Les conceptions traditionnelles de l'éducation sont généralement fondées sur un même modèle : il s'agit toujours plus ou moins de considérer l'enfant comme un adulte en miniature et, pour cette raison même, de l'inviter à imiter ses parents et ses professeurs aussi parfaitement que possible. Dans ce schéma éducatif, l'enfant est, pour l'essentiel, assimilé à un réceptacle passif dans lequel on déverse des connaissances et des règles de comportement.

Bien sûr, ce que je dis là sonne un peu comme une caricature et il existe des éducations anciennes plus fines et plus intelligentes que ne le laisse suggérer cette courte présentation. Mais l'idée générale n'est cependant pas tout à fait fausse et correspond à tout le moins à la vision que les Modernes se font des Anciens au moment où ils vont inventer une nouvelle pédagogie.

En effet, au fur et à mesure que le monde humaniste et démocratique se met en place, une conception de l'éducation apparaît qui va renverser ces deux postulats de la pensée traditionnelle. Il s'agit d'abord d'affirmer qu'il existe une « logique de l'enfance » dont la psychologie et les modes de pensée ne sont pas réductibles à ceux de l'adulte « en plus petit » ; d'autre part, en même temps que la notion de liberté se précise, que celle de vertu, comme nous l'avons vu chez Kant, est étroitement associée à celle de travail, une pédagogie active et non plus passive se met en place : elle tient que l'enfant ne se formera vraiment de façon efficace et profonde qu'en *pratiquant par lui-même des activités formatrices* et pas seulement en restant passif face à des savoirs qu'un maître déposerait dans sa tête comme dans un vase ou un réservoir vide qu'il s'agirait de remplir.

Or cette nouvelle pédagogie, qui apparaît déjà dans le maître livre de Rousseau, l'*Émile*, puis, comme l'a bien montré un de nos plus grands historiens de la philosophie, Alexis Philonenko, dans les *Réflexions sur l'éducation* de Kant, possède tout à la fois une dimension politique et philosophique qu'il est indispensable d'avoir présente à l'esprit si l'on veut comprendre les interrogations et les difficultés qui traversent encore aujourd'hui nos systèmes scolaires. Car c'est, comme on va voir, encore très largement dans l'univers mental des méthodes actives que nous continuons de penser l'école aujourd'hui.

Rousseau, dans l'*Émile*, disait déjà qu'il faut préférer l'éducation « par les choses » à l'éducation « par les hommes ». Or cette idée est directement au cœur des méthodes actives.

Que signifie cette formule ?

En gros ceci : l'éducation par les hommes, c'est l'éducation traditionnelle, celle dans laquelle l'élève est passivement formé par un autre homme, le maître. L'éducation par les choses désigne en revanche les méthodes nouvelles, celles dans lesquelles l'élève se *forme par lui-même*, activement, en travaillant à surmonter un certain nombre d'obstacles que la réalité lui oppose. Bien sûr, dans cette perspective moderne, le maître n'est pas pour autant inactif : c'est notamment lui qui choisit ce qu'on pourrait désigner comme les « bons obstacles », ceux qui sont en rapport avec l'âge et les possibilités de l'élève, ceux, donc, qu'il pourra surmonter mais aussi qui seront utiles à sa formation, féconds pour lui en termes d'apprentissage de telle ou telle discipline.

Jusque-là, ces idées peuvent sembler peut-être intéressantes, mais au fond assez banales, et en tout cas pas « géniales » au point de les emporter dans l'île déserte. Mais c'est là, justement, que Kant, fidèle disciple de Rousseau sur ce point, intervient pour leur donner une dimension philosophique d'une extraordinaire profondeur. On peut, selon lui, distinguer trois grandes conceptions de la pédagogie qui forment entre elles un système complet, et qui renvoient tout à la fois à ce que la politique et la morale modernes ont de plus profondément différent de toutes celles de l'Antiquité.

La première laisse une liberté absolue à l'enfant : c'est l'éducation par le *jeu*. Dès l'époque de Kant, en effet, certains pédagogues modernistes ont déjà l'idée qu'une éducation par le jeu pourrait peut-être, dans certains cas, être une bonne chose. Après tout, pourquoi, plutôt que d'enseigner les mathématiques, qui sont parfois si pénibles et si ennuyeuses, ne pas apprendre aux enfants des jeux qui forment tout aussi bien l'esprit sans pour autant l'abrutir – les échecs, par exemple ? Et, sur ce modèle – dont on notera qu'il se porte de mieux en mieux aujourd'hui, les logiciels éducatifs qu'on propose aux enfants en témoignent assez –, on imagine déjà toute une série de techniques pédagogiques « innovantes » qui permettraient à la limite d'épargner tout ennui et toute contrainte à l'enfant.

Cette théorie de l'éducation – à l'image de toutes les théories de l'éducation ainsi qu'on va le voir dans un instant – entretient une analogie très étroite avec la pensée politique. Comme Kant le perçoit avec beaucoup de finesse, une éducation qui parviendrait à être entièrement ludique, à supprimer vraiment toute contrainte, serait l'« équivalent » parfait de ce qu'on peut nommer en politique l'anarchie : un système dans lequel le citoyen, à l'instar de l'élève, est enfin débarrassé de toutes les contraintes que lui imposent d'ordinaire la loi et l'État.

La deuxième conception de l'éducation est l'exact inverse de la première : elle s'identifie tout simplement, sur le modèle traditionnel que j'évoquais tout à l'heure, au *dressage*. Dans cette perspective, l'enfant est tout à fait passif, aussi passif qu'il était actif dans l'éducation par le jeu, et l'« éducation par les hommes », pour parler comme Rousseau, atteint ici son apogée, comme l'« éducation par les choses » l'atteignait dans la pédagogie du jeu. Quant à l'équivalent politique du dressage, Kant le situe bien entendu dans ce visage de la politique autoritaire qu'est l'absolutisme.

Aux yeux de Kant, ces deux conceptions de l'éducation forment ce qu'il nomme une « antinomie », c'est-à-dire une discussion dans laquelle deux thèses s'affrontent diamétralement. Et, comme souvent dans les antinomies que décrit Kant, elles sont toutes deux également fausses et pourtant, toutes deux aussi contiennent quelque chose de vrai. Voyons cela d'un peu plus près.

La pédagogie du jeu est fausse en ce qu'elle ne fait aucune place à la contrainte, qui est nécessaire pour acquérir non seulement de la discipline, mais aussi pour maîtriser une discipline. Croire que l'on peut tout atteindre par le jeu est simplement une erreur : certains savoirs résistent et supposent, comme on va le voir dans la solution de l'antinomie, une contrainte qui est celle du travail. Et pourtant, la pédagogie du jeu a quelque chose de juste, à savoir ce qui, en elle, rejoint l'intuition de Rousseau touchant l'éducation par les choses : il est vrai qu'en *pratiquant* une *activité* intellectuelle, fût-elle ludique comme c'est le cas dans le jeu d'échecs, l'esprit de l'enfant se forme mieux que lorsqu'il est contraint sans cesse à la passivité.

Les qualités et les défauts du dressage se déduisent de ce qu'on vient de dire : il est faux en ceci qu'il nie les bénéfices de la pratique, de l'activité, bref de la *liberté* de l'enfant de sorte que le dressage convient sans doute à des animaux, mais point à des êtres libres.

Il est juste, en revanche, par le moment de contrainte qu'il maintient dans l'éducation, même s'il le fait de manière dogmatique et unilatérale.

Voici désormais, pour Kant, l'équation à résoudre pour qui a bien compris les deux termes de cette antinomie : comment concilier ce que ces deux visions extrêmes, toutes deux également fausses, peuvent avoir néanmoins de juste, au moins au départ, ou pour mieux dire : comment respecter la *liberté* de l'enfant tout en lui enseignant une discipline, comment faire en sorte qu'il soit actif et passif en même temps, libre et cependant contraint ?

Réponse : par le *travail*.

Pourquoi ? Parce que c'est lui qui fournit, si l'on peut dire, le « concept synthétique », la solution de l'antinomie. Car, en travaillant – si du moins il ne s'agit pas pour lui simplement d'une contrainte imposée du dehors comme dans le dressage –, l'enfant exerce, certes, son activité, sa liberté, mais *il ne s'en heurte pas moins à des obstacles objectifs qui, lorsqu'ils sont bien choisis par le maître, peuvent se montrer formateurs pour lui dès lors qu'il parvient à les surmonter activement.* Dans le travail, l'élève est donc à la fois actif et passif, libre et contraint, *tout en demeurant cependant dans le cadre d'une éducation par les choses telle que la recommandait Rousseau.* L'idée est aussi simple que profonde : le bon maître n'est ni celui qui laisse jouer l'élève et se retire par incapacité ou par démagogie, ni non plus celui qui entreprend de le contraindre passivement à entendre son discours sans la moindre participation active ; le bon maître est celui qui sait déterminer les bons obstacles, ceux qui sont, comme je le suggérais tout à l'heure, à la fois du bon niveau pour l'élève et formateurs par rapport à la discipline qu'on veut lui faire découvrir et apprendre. En quoi, dans la solution de cette antinomie, l'éducation par les choses et l'éducation par les hommes se trouvent réconciliées.

Et, là encore, un modèle politique se profile derrière les choix pédagogiques : à l'anarchie du jeu et à l'absolutisme du dressage succède ainsi l'idée républicaine ou, si l'on veut, la *citoyenneté du travail*.

La formule peut être explicitée de la façon suivante : si l'anarchie correspond au jeu et l'absolutisme au dressage, c'est la *République* qui constitue le système politique analogue à la valorisation des pédagogies du travail. Pourquoi ? Tout simplement parce que le citoyen d'une république est celui qui vote activement les lois et qui choisit aussi librement ses chefs par le biais de l'élection. Or, si l'on y réfléchit bien, on constatera que dans cette activité, qui est, en effet, par excellence celle d'un citoyen d'une république, l'adulte, comme l'élève de notre pédagogie du travail, est à la fois libre et contraint, actif et passif. En effet, il est libre lorsqu'il vote la loi et élit un chef, mais contraint cependant par cette même loi et, le cas échéant, par les chefs qu'il s'est donnés, dès lors que l'élection est close – où l'on retrouve bien les deux moments, liberté et discipline, activité et passivité, que le travail réconcilie en lui.

Où l'on voit que lorsqu'on quitte le monde ancien, le monde aristocratique où le travail n'est qu'une activité subalterne, réservée aux esclaves, le travail tend à devenir l'une des manifestations essentielles du propre de l'homme, de la liberté comme faculté de transformer le monde et, *le transformant, de se transformer et de s'éduquer soi-même au passage.* Le primat de la *theoria* a fait place, en quelque façon, à celui de la praxis.

Dans le même sens, la notion de vertu, qui se trouve au cœur de toute la pédagogie avec ses bonnets d'âne et ses bons points, ses blâmes et ses tableaux d'honneur, change, elle aussi, du tout au tout. Elle n'est plus, comme dans le monde ancien, aristocratique, l'actualisation d'une nature bien douée, c'est-à-dire bien née, mais elle relève désormais de l'ordre du « mérite ». Le hussard de la république préférera toujours l'élève peu doué au départ, mais qui à force de travail parvient à réussir et, en cela, se révèle éminemment méritant, à l'élève doué, qui a toutes les « facilités », mais qui est paresseux et désinvolte.

Ce qui nous permet de lever un petit secret de notre vie scolaire et d'expliquer pourquoi la formule canonique des bulletins trimestriels reste et restera longtemps encore, du moins tant que l'idée républicaine ne sera pas tout à fait morte : « Peut mieux faire ! »

III – SOTÉRIOLOGIE CHRÉTIENNE ET PHILOSOPHIE LAÏQUE : L'AMOUR À LA CROISÉE DES CHEMINS

La morale – le respect d'autrui – est vitale… quand elle fait défaut. Sans elle, nous ne pourrions pas vivre en communauté de façon un tant soit peu pacifique. Mais, lorsqu'elle est là, lorsque le respect de l'autre va de soi, qu'il est pour ainsi dire acquis, la morale devient superflue, pour ne pas dire dérisoire. Parce que, condition d'une relation pacifiée à autrui, elle ne lui donne pour autant aucun sens. Nous le savons tous : seul l'amour donne du sens à nos vies. Qu'il soit d'ailleurs amour des autres, ou amour de l'art, de la justice, de la vérité ou de telle ou telle autre valeur qu'on voudra imaginer, c'est lui qui nous anime, qui nous fait vivre. Or il n'a que faire de la morale. Sauf erreur de ma part, les plus grandes passions amoureuses sont, pour l'essentiel, amorales sinon immorales, et nous avons tous rencontré des êtres de bonté et de moralité dont pourtant nous ne tomberions amoureux pour rien au monde… C'est dire qu'à lui seul l'amour désigne, par-delà la théorie et la pratique, une troisième sphère : celle du sens, voire, comme on le voit dans la tradition chrétienne, du salut. Il en est, pour ainsi dire, le principal fil conducteur. Voilà une excellente raison à mes yeux de saisir ce fil et de le suivre un instant chez l'un de ceux, à savoir Pascal, qui l'a peut-être conduit au plus profond du cœur humain.

Qu'aimons-nous chez les autres ? La singularité de l'amour selon Pascal

La grande tradition romantique, reprenant, comme nous allons le voir dans un instant, l'une des idées les plus géniales de Pascal, nous a légué une pensée grandiose de ce que nous aimons dans la singularité d'un être, d'une œuvre ou d'une culture. Elle repose sur une analyse très simple de ce qui caractérise toute grande œuvre d'art : dans quelque domaine que ce soit, la grande œuvre est toujours au départ caractérisée par une origine « locale », par la particularité de son contexte culturel de naissance. Malgré sa grandeur, elle est toujours plus ou moins marquée historiquement et géographiquement par l'époque et l'« esprit du peuple » au sein desquels elle a vu le jour. C'est là, si l'on veut, son côté « folklorique ». Même sans être un grand spécialiste de l'histoire de l'art, on perçoit presque sans y penser qu'une toile de Vermeer n'appartient ni au monde asiatique ni à l'univers arabo-musulman et qu'elle n'est manifestement pas non plus localisable dans l'espace de l'art contemporain... De même, à peine quelques mesures suffisent parfois pour déterminer qu'une musique vient d'Orient ou d'Occident, qu'elle est classique, baroque, romantique… Nombre d'œuvres de musique savante ont d'ailleurs assumé explicitement une ascendance populaire : les danses hongroises de Brahms, les polonaises de Chopin, les danses populaires roumaines de Bartók, et une infinité d'autres partitions d'une incontestable importance musicale…

Cela dit, le propre de la grande œuvre, à la différence justement du folklore et de l'artisanat local, c'est qu'elle possède en elle de quoi s'élever à l'universel ou, pour mieux dire, si le mot fait peur, de quoi s'adresser potentiellement à l'humanité tout entière. C'est en ce sens que Goethe, après Hegel, parlait d'une histoire mondiale de l'art et de la culture et notamment d'une « littérature mondiale » (*Weltlitteratur*). L'idée de mondialisation n'est nullement associée ici à celle d'uniformité : l'accès de l'œuvre au niveau mondial ne s'obtient pas en bafouant les particularités d'origine, mais tout au contraire, puisqu'elle en part et qu'elle s'en nourrit, en les respectant. Simplement, ces particularités, au lieu de demeurer intactes, voire d'être sacralisées et comme telles vouées à ne trouver sens que dans leur communauté d'origine, sont prises dans un projet qui, traduisant une expérience existentielle potentiellement commune à l'humanité, parle éventuellement à tous les êtres humains, quels que soient le lieu et le temps où ils vivent.

Or, depuis Aristote, la logique classique désigne sous le nom de « singularité » ou d'« individualité » une particularité qui n'en reste pas au particulier mais qui au contraire se réconcilie avec l'universel. On perçoit aisément en quoi la grande œuvre d'art nous en offre le modèle le plus parfait : c'est parce que les grands auteurs, les « génies » sont, en ce sens bien précis, des auteurs « singuliers », tout à la fois enracinés dans leur culture d'origine et dans leur époque, mais cependant destinés à parler à tous les hommes de tous les temps en raison de l'universalité de leur message, que nous lisons encore Platon ou Homère, Molière ou Shakespeare, ou que nous écoutons encore les œuvres de Bach ou de Chopin. Il en va ainsi de toutes les grandes œuvres, de tous les grands monuments : on peut être français, de culture catholique, et cependant profondément ébloui par le temple d'Angkor, par la mosquée de Kairouan ou par une calligraphie chinoise...

Cette conception des grandes œuvres comme « singularités », c'est-à-dire comme transfiguration des particularités locales d'origine dans un rapport à l'universalité du monde, peut s'appliquer tout autant aux découvertes scientifiques majeures (par exemple : l'algèbre, comme son nom l'indique, est d'origine arabe, mais tout un chacun l'utilise aujourd'hui) qu'aux cultures prises comme entités globales (c'est ainsi que l'on parle de l'« art grec », du « classicisme français », du « romantisme allemand », etc.). C'est également dans ce sens que l'on peut défendre une conception non tribale, non nationaliste, des identités culturelles qui, bien que particulières, ou plutôt parce qu'elles sont particulières aussi, enrichissent le monde auquel elles s'adressent et dont elles sont ainsi réellement partie prenante dès lors qu'elles acceptent de parler aussi le langage de l'universel : « culture partagée » ou « partage des cultures » qui, du point de vue de la pensée élargie, s'enrichissent les unes les autres, non sous la forme plate et démagogique du seul respect des « folklores » et des « artisanats locaux », mais dans l'optique plus profonde de la construction d'un monde tout à la fois divers et commun. Par où l'on voit à quel titre la notion de singularité peut et doit être rattachée directement à l'idéal de la pensée élargie : en m'arrachant à moi-même pour comprendre autrui, en élargissant donc le champ de mes expériences, je me singularise puisque je dépasse tout à la fois le particulier de ma condition individuelle d'origine pour accéder, sinon à l'universalité, du moins à une prise en compte chaque fois plus large et plus riche des possibilités qui sont celles de l'humanité tout entière.

Or voilà justement ce que Pascal a pensé comme nul autre avant lui dans sa philosophie de l'amour. Seul ce dernier donne sa valeur et son sens ultimes à ce processus d'« élargissement » de l'horizon qui peut et doit guider l'expérience humaine. Quel rapport, demandera-t-on peut-être, avec la notion de singularité telle qu'on vient de l'évoquer ? Un fragment, sublime, des *Pensées* de Pascal (323), nous aidera à le mieux comprendre. Il s'interroge sur la nature exacte des objets de nos affections en même temps que sur l'identité du moi. Il me faut ici le citer tout entier afin que chacun puisse l'avoir présent à l'esprit :

Qu'est-ce que le moi ?

Un homme qui se met à la fenêtre pour voir les passants, si je passe par là, puis-je dire qu'il s'est mis là pour me voir ? Non ; car il ne pense pas à moi en particulier. Mais celui qui aime quelqu'un à cause de sa beauté, l'aime-t-il ? Non : car la petite vérole, qui tuera la beauté sans tuer la personne, fera qu'il ne l'aimera plus.

Et si on m'aime pour mon jugement, pour ma mémoire, m'aime-t-on, moi *? Non, car je puis perdre ces qualités sans me perdre moi-même. Où est donc ce* moi, *s'il n'est ni dans le corps, ni dans l'âme ? Et comment aimer le corps ou l'âme, sinon pour ces qualités, qui ne sont point ce qui fait le moi, puisqu'elles sont périssables ? Car aimerait-on la substance de l'âme d'une personne abstraitement, et quelques qualités qui y fussent ? Cela ne se peut, et serait injuste. On n'aime donc jamais personne, mais seulement des qualités.*

Qu'on ne se moque donc plus de ceux qui se font honorer pour des charges et des offices, car on n'aime personne que pour des qualités empruntées.

D'où la conclusion que l'on tire généralement de ce texte, à savoir que le moi, dont Pascal nous a déjà dit qu'il était « haïssable », n'est pas plausible comme objet d'amour. En effet, il semble, dans un premier temps du moins, que je m'attache avant tout aux particularités, aux qualités intimes de l'être que je prétends aimer : sa beauté, son intelligence, etc. Mais, comme de tels attributs sont éminemment périssables, je dois m'attendre à cesser un jour ou l'autre de l'aimer – ce que, comme Pascal le note dans un autre fragment (123), l'expérience la plus banale suffit à confirmer : « Il n'aime plus cette personne qu'il aimait il y a dix ans. Je crois bien : elle n'est plus la même, ni lui non plus. Il était jeune et elle aussi ; elle est tout autre. Il l'aimerait peut-être encore, telle qu'elle était alors. » Par où l'on découvre que, loin d'avoir aimé en l'autre ce qu'on prenait pour sa « particularité » la plus essentielle, on ne s'est attaché qu'à des qualités abstraites, pouvant se trouver le cas échéant chez n'importe qui d'autre : la beauté, l'intelligence, le courage, la force ne sont pas propres à tel ou tel, elles ne sont pas nécessairement liées de manière intime et particulière à la « substance » d'un être, mais elles sont, pour ainsi dire, interchangeables. Sans doute l'ancien amant du fragment 123, s'il pense ainsi, va-t-il divorcer et chercher une femme plus jeune et plus belle, et en cela très semblable à celle qu'il avait épousée dix ans plus tôt... Où Pascal découvre, bien avant Hegel, que le particulier et l'universel abstrait, loin de s'opposer, « passent l'un dans l'autre » et ne font qu'un en vérité. Je crois saisir le cœur d'un être, son intimité la plus intime, en l'aimant pour ses qualités, mais la réalité est tout autre : je n'ai saisi de lui que des attributs aussi anonymes qu'une charge ou une décoration, et rien de plus.

En d'autres termes, et je retrouve ici le fil de notre propos : *le particulier n'était pas le singulier*. Seule, en effet, la singularité qui dépasse à la fois le particulier et l'universel, peut être objet d'amour. Si l'on s'en tient aux seules qualités particulières/générales, on n'aime jamais personne et, dans cette optique, Pascal a raison, il faut cesser de moquer les vaniteux qui prisent les honneurs, car nous ne sommes guère supérieurs à eux ! Ce qui fait qu'un être est aimable, ce qui donne le sentiment de pouvoir le choisir entre tous et de continuer à l'aimer quand bien même la maladie l'aurait défiguré, c'est bien sûr ce qui le rend irremplaçable, tel et non autre. Ce que l'on aime en lui (et qu'il aime en nous le cas échéant) et que par conséquent nous devons chercher à développer pour autrui comme en soi, ce n'est ni la particularité pure ni les qualités abstraites (l'universel), mais cette singularité qui le distingue et le fait à nul autre pareil. À celui ou celle qu'on aime, on peut dire affectueusement : « merci d'exister », mais aussi bien, avec Montaigne évoquant son ami La Boétie : « parce que c'était lui, parce que c'était moi », mais pas : « parce qu'il était beau, fort, riche et intelligent... ».

CONCLUSION : UNE VICTOIRE MODESTE...

La philosophie peut-elle vraiment nous permettre d'en finir avec les peurs, de les terrasser, comme saint Georges son dragon, pour vivre enfin dans la sérénité la plus parfaite ? Des doctrines, plus ou moins dérivées de la psychanalyse, des spiritualités orientales ou des théories du « développement personnel » n'hésitent pas à faire miroiter à tous les malheureux de la terre les vertus de l'« art du bonheur ». Je ne crois guère à ces fables. Le philosophe n'est pas un sage, encore moins un gourou. Aimer la sagesse, c'est la désirer, la chercher, non la posséder et, s'il y a victoire sur les peurs, ce n'est certainement pas en un sens triomphaliste qu'il faut l'entendre. Le sage authentique ne promet rien ni ne harangue les foules : il se contente de vivre et cela lui suffit. Comme Épictète, j'avoue ne l'avoir jamais rencontré. La vérité, bien sûr, c'est qu'on n'en a jamais fini avec les peurs. Et cela vaut pour chacun d'entre nous, comme pour les trois discours qui prétendent aujourd'hui encore les affronter : le religieux, le psychanalytique et le philosophique.

Voyez autour de vous les croyants. À quelques exceptions près – qu'à titre personnel je n'ai jamais rencontrées non plus –, je ne les vois pas fous de joie à l'annonce de la mort d'un fils, d'une mère, d'un mari ou d'un frère. Or, en bonne théologie, ils devraient pourtant s'en réjouir, la fêter même comme une chance merveilleuse pour le défunt qui s'en retourne enfin auprès de son Dieu et s'en trouve ainsi délivré des souffrances terrestres. Les consolations qu'offre la religion ne sont pas douteuses. Qu'elle supprime pour autant la peur de la mort ne me paraît en rien corroboré par la réalité observable...

Voyez encore ceux qu'une longue analyse aurait dû pour le moins débarrasser de quelques-unes de leurs phobies les plus envahissantes et les moins raisonnables : peur infantile du noir, des souris, des ascenseurs, des algues au fond de l'eau... La vérité, c'est qu'après vingt ans passés à converser avec un psy, il n'est pas rare, j'en ai quelques échantillons bien précis en tête, que ces petits symptômes d'angoisse soient toujours en place comme au premier jour...

Quant à la philosophie, Épictète avait déjà l'honnêteté de le concéder, il est fort possible qu'elle n'ait jamais engendré un seul sage, ni réussi à déprendre tout à fait aucun homme des peurs qui l'habitent. Spinoza nous parle de la béatitude à laquelle parvient celui qui accède à la sagesse suprême, à la « connaissance du troisième genre », mais nul n'a jamais vu, ni de près ni de loin, à quoi elle ressemblait ni en quoi cette fameuse pensée du troisième type pouvait bien concrètement consister. Voilà pourquoi je préfère, à tout prendre, les philosophies qui ne promettent pas le bonheur. J'ai quelques amis spinozistes, je ne les trouve ni plus sereins ni plus joyeux que le premier cartésien venu. Quant à l'*amor fati* de Nietzsche, l'amour du présent tel qu'il est, on peut bien le conseiller à celui qui, au Rwanda ou ailleurs, voit ses proches découpés en morceaux et baignant dans leur sang, je doute fort que cela lui soit d'un grand secours…

Alors, me direz-vous, à quoi bon la philosophie ?

Face aux peurs qui rétrécissent la vie, qui la rendent moins libre et moins joyeuse, elle n'est ni une béquille ni un médicament. Pourtant, à tort ou à raison, je la crois plus lucide, moins illusoire si l'on veut, que la religion, et plus fondamentale, moins « technicienne », que la psychanalyse qui s'en tient au « comment » sans jamais accéder au « pourquoi ». Bien entendu, elle ne nous donne aucune solution clefs en main, ni ne nous dispense de la peine de vivre et de penser par nous-mêmes, mais elle peut, comme nulle autre, nous aider, sinon à supprimer, du moins à *apprivoiser* une réalité dont je vois mal comment elle pourrait ne pas nous effrayer.

Je pense sur ce dernier point le contraire exact de Freud, lorsque, dans une lettre à son ami Fliess, il déclare tranquillement que « lorsqu'on commence à se poser les questions portant sur le sens de la vie et de la mort, on est malade, car tout ceci n'existe pas de manière objective ». Pas de manière objective ! Comment peut-on dire quelque chose de plus faux, de plus dogmatique et de moins réfléchi ? Une maladresse, une chute, un microbe, et vous voilà privé des êtres qui vous sont le plus chers : cela n'est-il pas l'objectivité même ? Il suffit de nous voir, petits morceaux de chair rose ou brune entourée d'une fine pellicule de peau que la moindre blessure expose à la souffrance et à la mort. Ah oui ! en effet, nous sommes bien fous d'être quelque peu inquiets, légèrement soucieux... À moins que ce ne soit notre grand psychanalyste qui s'égare dans ses propres fantasmes lorsqu'il prétend que l'angoisse est pathologique, alors qu'elle est le signe même de la lucidité.

Anéantir les peurs ? N'y pensons même pas. Mais nous pouvons, plutôt que de les nier comme Freud ou de les fuir dans les refuges de la religion, apprendre à vivre avec, voire, comme le judoka fait de son ennemi, les retourner parfois à notre profit, en faire des moteurs de la pensée et de l'action, bref, les *apprivoiser*. Comme le renard du Petit Prince qui, de sauvage au départ, aspire à entrer dans la sphère de l'amitié, les peurs nous obligent à progresser. Tout marin qui, après une traversée difficile, rejoint la tranquillité d'un port en a l'expérience : chaque fois que nous parvenons à surmonter une peur, nous nous sentons plus libres et, sinon plus heureux, du moins plus sereins. Contrairement à ce que recommande Freud, il faut penser à la mort, se familiariser avec elle, réfléchir encore et toujours à ce que la finitude nous impose de vivre avec ceux que nous aimons et dont nous serons un jour ou l'autre séparés. Nous aider à le faire de la façon la plus consciente et lucide qui soit, voilà, me semble-t-il, ce que la philosophie, modestement, peut promettre. C'est peu ou beaucoup, comme on voudra, mais c'est cela.

Voilà pourquoi aussi j'admire les méditations de Pascal sur la singularité et, dans ce domaine qui touche à l'amour comme dans quelques autres, j'aimerais approfondir l'idée qu'une sécularisation du christianisme est non seulement possible, mais sur plus d'un point féconde. En quoi pourrait bien consister, hors religion, une sagesse de l'amour ? Comment vivre *philia* et *agapê* avec la claire conscience que nous verrons inévitablement mourir ceux que nous aimons, à moins que nous ne mourions avant eux ? Quel dialogue, quels liens tisser avec eux dans ces conditions chaque jour que Dieu fait ou plutôt ne fait pas ? Voilà des questions qui méritent qu'on s'y arrête en s'inspirant, entre autres, du message de Pascal. Un humanisme laïque peut y puiser des sources. Je tâcherai d'y revenir dans un prochain livre.

Mais, contrairement à une idée reçue, les considérations sur l'amour ne touchent pas seulement la sphère privée, le domaine des relations interindividuelles. Pour une part non négligeable, elles valent aussi dans celle du collectif. Dans *La Sagesse des Modernes* j'avais évoqué l'idée, étrange à première vue, d'une « politique de l'amour ». Je reste convaincu qu'elle mérite, elle aussi, d'être creusée. Pour qu'un projet politique d'envergure puisse entrer en vigueur et se concrétiser sans provoquer aussitôt le cortège habituel des grognes et des manifestations qui accompagnent chez nous toute tentative de réforme un tant soit peu audacieuse, il faut être capable de s'appuyer sur du lien social, voire de le créer quand il fait défaut.

Or, nous le voyons chaque jour, la solidarité n'existe plus guère que dans la famille ou alors, mais c'est à un niveau abstrait et désincarné, lorsque les mécanismes de l'État-providence tels que les assurances contre la maladie ou le chômage, par exemple, nous viennent en aide. Pour le reste, c'est le règne absolu des corporatismes et des lobbies en tout genre. Je me souviens qu'un jour le chef du gouvernement auquel j'appartenais annonça, sans en avoir averti ses ministres, que trois milliards d'euros seraient débloqués en faveur des restaurateurs. J'étais alors en butte à une grève des chercheurs, qui demandaient – à juste titre, faut-il le préciser ? – quelques dizaines de millions d'euros pour rentrer dans leurs laboratoires. Au moment même où la nouvelle s'est répandue comme une traînée de poudre, j'étais dans un amphithéâtre, au milieu de cinq ou six cents d'entre eux, en pleine négociation. C'est peu de dire que je n'ai pas senti le vent de la solidarité avec les bistros souffler sur l'assemblée qui m'entourait…

Chacun voit midi à sa porte et l'argent public étant plus rare que jamais, c'est tout normalement l'égoïsme qui l'emporte. Il n'y a là ni morale ni objection à faire. C'est ainsi, voilà tout, et parfaitement compréhensible, même si le fait est, il faut bien l'avouer, assez fâcheux. Pourtant, une lueur d'espoir demeure. Elle tient au fait que, globalement, les liens entre générations sont, quoi qu'on en dise parfois, plus forts que jamais. Tout bien pesé, les parents aiment leurs enfants sans doute plus qu'à aucune autre époque de l'histoire. Ils sont tétanisés d'angoisse dès que leur avenir est en cause – le nombre incalculable des demandes de contournement de carte scolaire auquel doit faire face tout ministre de l'Éducation en témoigne assez à lui seul. Et, au total, les enfants rendent assez bien cet amour à leurs parents auprès desquels ils restent, comme on sait, jusqu'à un âge de plus en plus avancé.

C'est à mes yeux sur ce lien qu'il faudrait s'appuyer davantage pour construire un projet politique, car c'est sans doute le seul qui se soit, au fil des deux derniers siècles, enrichi, renforcé et même approfondi. Il est presque impossible de supporter la pauvreté, même relative, dans une société qui nous incite sans cesse et de tous côtés à la consommation. En revanche, lorsqu'on a le sentiment que les efforts que l'on fait et les épreuves que l'on subit seront du moins utiles à nos enfants, qu'ils auront une vie meilleure que la nôtre, alors tout devient plus sensé, et par là même, plus supportable. Éclairer les enjeux de la politique moderne à la lumière d'un humanisme enfin débarrassé des oripeaux de la métaphysique peut être utile.

Car la philosophie peut et doit aussi, même si c'est parfois périlleux, entrer dans la cité.

TABLE DES MATIÈRES

II
RÉPONSES AUX OBJECTIONS

DU MÊME AUTEUR

Philosophie politique I. Le Droit : la nouvelle querelle des Anciens et des Modernes, Paris, PUF, 1984.

Philosophie politique II. Le Système des philosophies de l'histoire, Paris, PUF, 1984.

Philosophie politique III. Des droits de l'homme à l'idée républicaine, Paris, PUF, 1985 (en coll.).

La Pensée 68. Essai sur l'anti-humanisme contemporain, Paris, Gallimard, 1985 (avec Alain Renaut).

Système et critiques, Bruxelles, Ousia, 1985 (en coll.).

68-86. Itinéraires de l'individu, Paris, Gallimard, 1987 (en coll.).

Heidegger et les modernes, Paris, Grasset, 1988 (en coll.).

Homo Aestheticus. L'invention du goût à l'âge démocratique, Paris, Grasset, 1990.

Pourquoi nous ne sommes pas nietzschéens. Paris, Grasset, 1991 (en coll.).

Le Nouvel Ordre écologique, Paris, Grasset, 1992.

Des animaux et des hommes. Une anthologie, Paris, Le Livre de Poche, Hachette, 1994, en coll.).

L'Homme-Dieu ou le sens de la vie, Paris, Grasset, 1996.

La Sagesse des Modernes, Paris, Laffont, 1998 (avec André Comte-Sponville).

Le Sens du beau, Paris, Cercle d'art, 1998.

Philosopher à dix-huit ans, Paris, Grasset, 1999 (en coll.).

Qu'est-ce qu'une vie réussie ?, Paris, Grasset, 2002.

La Naissance de l'esthétique moderne, Paris, Cercle d'art, 2004.

Le Religieux après la religion, Paris, Grasset, 2004 (avec Marcel Gauchet).

Comment peut-on être ministre ? Réflexions sur la gouvernabilité des démocraties, Paris, Plon, 2005.

Apprendre à vivre. Traité de philosophie à l'usage des jeunes générations, Paris, Plon, 2006.

Kant. Une lecture des trois « Critiques », Paris, Grasset, 2006.

Dans la collection « Poches Odile Jacob »

N° 1 : Aldo Naouri, *Les Filles et leurs mères*
N° 2 : Boris Cyrulnik, *Les Nourritures affectives*
N° 3 : Jean-Didier Vincent, *La Chair et le Diable*
N° 4 : Jean François Deniau, *Le Bureau des secrets perdus*
N° 5 : Stephen Hawking, *Trous noirs et Bébés univers*
N° 6 : Claude Hagège, *Le Souffle de la langue*
N° 7 : Claude Olievenstein, *Naissance de la vieillesse*
N° 8 : Édouard Zarifian, *Les Jardiniers de la folie*
N° 9 : Caroline Eliacheff, *À corps et à cris*
N° 10 : François Lelord, Christophe André, *Comment gérer les personnalités difficiles*
N° 11 : Jean-Pierre Changeux, Alain Connes, *Matière à pensée*
N° 12 : Yves Coppens, *Le Genou de Lucy*
N° 13 : Jacques Ruffié, *Le Sexe et la Mort*
N° 14 : François Roustang, *Comment faire rire un paranoïaque ?*
N° 15 : Jean-Claude Duplessy, Pierre Morel, *Gros Temps sur la planète*
N° 16 : François Jacob, *La Souris, la Mouche et l'Homme*
N° 17 : Marie-Frédérique Bacqué, *Le Deuil à vivre*
N° 18 : Gerald M. Edelman, *Biologie de la conscience*
N° 19 : Samuel P. Huntington, *Le Choc des civilisations*
N° 20 : Dan Kiley, *Le Syndrome de Peter Pan*
N° 21 : Willy Pasini, *À quoi sert le couple ?*
N° 22 : Françoise Héritier, Boris Cyrulnik, Aldo Naouri, *De l'inceste*
N° 23 : Tobie Nathan, *Psychanalyse païenne*
N° 24 : Raymond Aubrac, *Où la mémoire s'attarde*
N° 25 : Georges Charpak, Richard L. Garwin, *Feux follets et Champignons nucléaires*
N° 26 : Henry de Lumley, *L'Homme premier*
N° 27 : Alain Ehrenberg, *La Fatigue d'être soi*
N° 28 : Jean-Pierre Changeux, Paul Ricœur, *Ce qui nous fait penser*
N° 29 : André Brahic, *Enfants du Soleil*
N° 30 : David Ruelle, *Hasard et Chaos*
N° 31 : Claude Olievenstein, *Le Non-dit des émotions*
N° 32 : Édouard Zarifian, *Des paradis plein la tête*
N° 33 : Michel Jouvet, *Le Sommeil et le Rêve*
N° 34 : Jean-Baptiste de Foucauld, Denis Piveteau, *Une société en quête de sens*
N° 35 : Jean-Marie Bourre, *La Diététique du cerveau*
N° 36 : François Lelord, *Les Contes d'un psychiatre ordinaire*

N° 37 : Alain Braconnier, *Le Sexe des émotions*
N° 38 : Temple Grandin, *Ma vie d'autiste*
N° 39 : Philippe Taquet, *L'Empreinte des dinosaures*
N° 40 : Antonio R. Damasio, *L'Erreur de Descartes*
N° 41 : Édouard Zarifian, *La Force de guérir*
N° 42 : Yves Coppens, *Pré-ambules*
N° 43 : Claude Fischler, *L'Homnivore*
N° 44 : Brigitte Thévenot, Aldo Naouri, *Questions d'enfants*
N° 45 : Geneviève Delaisi de Parseval, Suzanne Lallemand, *L'Art d'accommoder les bébés*
N° 46 : François Mitterrand, Elie Wiesel, *Mémoire à deux voix*
N° 47 : François Mitterrand, *Mémoires interrompus*
N° 48 : François Mitterrand, *De l'Allemagne, de la France*
N° 49 : Caroline Eliacheff, *Vies privées*
N° 50 : Tobie Nathan, *L'Influence qui guérit*
N° 51 : Éric Albert, Alain Braconnier, *Tout est dans la tête*
N° 52 : Judith Rapoport, *Le garçon qui n'arrêtait pas de se laver*
N° 53 : Michel Cassé, *Du vide et de la création*
N° 54 : Ilya Prigogine, *La Fin des certitudes*
N° 55 : Ginette Raimbault, Caroline Eliacheff, *Les Indomptables*
N° 56 : Marc Abélès, *Un ethnologue à l'Assemblée*
N° 57 : Alicia Lieberman, *La Vie émotionnelle du tout-petit*
N° 58 : Robert Dantzer, *L'Illusion psychosomatique*
N° 59 : Marie-Jo Bonnet, *Les Relations amoureuses entre les femmes*
N° 60 : Irène Théry, *Le Démariage*
N° 61 : Claude Lévi-Strauss, Didier Éribon, *De près et de loin*
N° 62 : François Roustang, *La Fin de la plainte*
N° 63 : Luc Ferry, Jean-Didier Vincent, *Qu'est-ce que l'homme ?*
N° 64 : Aldo Naouri, *Parier sur l'enfant*
N° 65 : Robert Rochefort, *La Société des consommateurs*
N° 66 : John Cleese, Robin Skynner, *Comment être un névrosé heureux*
N° 67 : Boris Cyrulnik, *L'Ensorcellement du monde*
N° 68 : Darian Leader, *À quoi penses-tu ?*
N° 69 : Georges Duby, *L'Histoire continue*
N° 70 : David Lepoutre, *Cœur de banlieue*
N° 71 : Université de tous les savoirs 1, *La Géographie et la Démographie*
N° 72 : Université de tous les savoirs 2, *L'Histoire, la Sociologie et l'Anthropologie*
N° 73 : Université de tous les savoirs 3, *L'Économie, le Travail, l'Entreprise*

N° 74 : Christophe André, François Lelord, *L'Estime de soi*
N° 75 : Université de tous les savoirs 4, *La Vie*
N° 76 : Université de tous les savoirs 5, *Le Cerveau, le Langage, le Sens*
N° 77 : Université de tous les savoirs 6, *La Nature et les Risques*
N° 78 : Boris Cyrulnik, *Un merveilleux malheur*
N° 79 : Université de tous les savoirs 7, *Les Technologies*
N° 80 : Université de tous les savoirs 8, *L'Individu dans la société d'aujourd'hui*
N° 81 : Université de tous les savoirs 9, *Le Pouvoir, L'État, la Politique*
N° 82 : Jean-Didier Vincent, *Biologie des passions*
N° 83 : Université de tous les savoirs 10, *Les Maladies et la Médecine*
N° 84 : Université de tous les savoirs 11, *La Philosophie et l'Éthique*
N° 85 : Université de tous les savoirs 12, *La Société et les Relations sociales*
N° 86 : Roger-Pol Droit, *La Compagnie des philosophes*
N° 87 : Université de tous les savoirs 13, *Les Mathématiques*
N° 88 : Université de tous les savoirs 14, *L'Univers*
N° 89 : Université de tous les savoirs 15, *Le Globe*
N° 90 : Jean-Pierre Changeux, *Raison et Plaisir*
N° 91 : Antonio R. Damasio, *Le Sentiment même de soi*
N° 92 : Université de tous les savoirs 16, *La Physique et les Éléments*
N° 93 : Université de tous les savoirs 17, *Les États de la matière*
N° 94 : Université de tous les savoirs 18, *La Chimie*
N° 95 : Claude Olievenstein, *L'Homme parano*
N° 96 : Université de tous les savoirs 19, *Géopolitique et Mondialisation*
N° 97 : Université de tous les savoirs 20, *L'Art et la Culture*
N° 98 : Claude Hagège, *Halte à la mort des langues*
N° 99 : Jean-Denis Bredin, Thierry Lévy, *Convaincre*
N° 100 : Willy Pasini, *La Force du désir*
N° 101 : Jacques Fricker, *Maigrir en grande forme*
N° 102 : Nicolas Offenstadt, *Les Fusillés de la Grande Guerre*
N° 103 : Catherine Reverzy, *Femmes d'aventure*
N° 104 : Willy Pasini, *Les Casse-pieds*
N° 105 : Roger-Pol Droit, *101 Expériences de philosophie quotidienne*
N° 106 : Jean-Marie Bourre, *La Diététique de la performance*
N° 107 : Jean Cottraux, *La Répétition des scénarios de vie*
N° 108 : Christophe André, Patrice Légeron, *La Peur des autres*
N° 109 : Amartya Sen, *Un nouveau modèle économique*
N° 110 : John D. Barrow, *Pourquoi le monde est-il mathématique ?*

N° 111 : Richard Dawkins, *Le Gène égoïste*
N° 112 : Pierre Fédida, *Des bienfaits de la dépression*
N° 113 : Patrick Légeron, *Le Stress au travail*
N° 114 : François Lelord, Christophe André, *La Force des émotions*
N° 115 : Marc Ferro, *Histoire de France*
N° 116 : Stanislas Dehaene, *La Bosse des maths*
N° 117 : Willy Pasini, Donato Francescato, *Le Courage de changer*
N° 118 : François Heisbourg, *Hyperterrorisme : la nouvelle guerre*
N° 119 : Marc Ferro, *Le Choc de l'Islam*
N° 120 : Régis Debray, *Dieu, un itinéraire*
N° 121 : Georges Charpak, Henri Broch, *Devenez sorciers, devenez savants*
N° 122 : René Frydman, *Dieu, la Médecine et l'Embryon*
N° 123 : Philippe Brenot, *Inventer le couple*
N° 124 : Jean Le Camus, *Le Vrai Rôle du père*
N° 125 : Elisabeth Badinter, *XY*
N° 126 : Elisabeth Badinter, *L'Un est l'Autre*
N° 127 : Laurent Cohen-Tanugi, *L'Europe et l'Amérique au seuil du XXIe siècle*
N° 128 : Aldo Naouri, *Réponses de pédiatre*
N° 129 : Jean-Pierre Changeux, *L'Homme de vérité*
N° 130 : Nicole Jeammet, *Les Violences morales*
N° 131 : Robert Neuburger, *Nouveaux Couples*
N° 132 : Boris Cyrulnik, *Les Vilains Petits Canards*
N° 133 : Christophe André, *Vivre heureux*
N° 134 : François Lelord, *Le Voyage d'Hector*
N° 135 : Alain Braconnier, *Petit ou grand anxieux ?*
N° 136 : Juan Luis Arsuaga, *Le Collier de Néandertal*
N° 137 : Daniel Sibony, *Don de soi ou partage de soi*
N° 138 : Claude Hagège, *L'Enfant aux deux langues*
N° 139 : Roger-Pol Droit, *Dernières Nouvelles des choses*
N° 140 : Willy Pasini, *Être sûr de soi*
N° 141 : Massimo Piattelli Palmarini, *Le Goût des études ou comment l'acquérir*
N° 142 : Michel Godet, *Le Choc de 2006*
N° 143 : Gérard Chaliand, Sophie Mousset, *2 000 ans de chrétientés*
N° 145 : Christian De Duve, *À l'écoute du vivant*
N° 146 : Aldo Naouri, *Le Couple et l'Enfant*

N° 147 : Robert Rochefort, *Vive le papy-boom*
N° 148 : Dominique Desanti, Jean-Toussaint Desanti, *La liberté nous aime encore*
N° 149 : François Roustang, *Il suffit d'un geste*
N° 150 : Howard Buten, *Il y a quelqu'un là-dedans*
N° 151 : Catherine Clément, Tobie Nathan, *Le Divan et le Grigri*
N° 152 : Antonio R. Damasio, *Spinoza avait raison*
N° 153 : Bénédicte de Boysson-Bardies, *Comment la parole vient aux enfants*
N° 154 : Michel Schneider, *Big Mother*
N° 155 : Willy Pasini, *Le Temps d'aimer*
N° 156 : Jean-François Amadieu, *Le Poids des apparences*
N° 157 : Jean Cottraux, *Les Ennemis intérieurs*
N° 158 : Bill Clinton, *Ma Vie*
N° 159 : Marc Jeannerod, *Le Cerveau intime*
N° 160 : David Khayat, *Les Chemins de l'espoir*
N° 161 : Jean Daniel, *La Prison juive*
N° 162 : Marie-Christine Hardy-Baylé, Patrick Hardy, *Maniaco-dépressif*
N° 163 : Boris Cyrulnik, *Le Murmure des fantômes*
N° 164 : Georges Charpak, Roland Omnès, *Soyez savants, devenez prophètes*
N° 165 : Aldo Naouri, *Les Pères et les Mères*
N° 166 : Christophe André, *Psychologie de la peur*
N° 167 : Alain Peyrefitte, *La Société de confiance*
N° 168 : François Ladame, *Les Éternels Adolescents*
N° 169 : Didier Pleux, *De l'enfant roi à l'enfant tyran*
N° 170 : Robert Axelrod, *Comment réussir dans un monde d'égoïstes*
N° 171 : François Millet-Bartoli, *La Crise du milieu de la vie*
N° 172 : Hubert Montagner, *L'Attachement*
N° 173 : Jean-Marie Bourre, *La Nouvelle Diététique du cerveau*
N° 174 : Willy Pasini, *La Jalousie*
N° 175 : Frédéric Fanget, *Oser*
N° 176 : Lucy Vincent, *Comment devient-on amoureux ?*
N° 177 : Jacques Melher, Emmanuel Dupoux, *Naître humain*
N° 178 : Gérard Apfeldorfer, *Les Relations durables*
N° 179 : Bernard Lechevalier, *Le Cerveau de Mozart*
N° 180 : Stella Baruk, *Quelles mathématiques pour l'école ?*

N° 181 : Patrick Lemoine, *Le Mystère du placebo*
N° 182 : Boris Cyrulnik, *Parler d'amour au bord du gouffre*
N° 183 : Alain Braconnier, *Mère et Fils*
N° 184 : Jean-Claude Carrière, *Einstein, s'il vous plaît*
N° 185 : Aldo Naouri, Sylvie Angel, Philippe Gutton, *Les Mères juives*
N° 186 : Jean-Marie Bourre, *La Vérité sur les oméga-3*
N° 187 : Édouard Zarifian, *Le Goût de vivre*
N° 188 : Lucy Vincent, *Petits arrangements avec l'amour*
N° 189 : Jean-Claude Carrière, *Fragilité*
N° 190 : Luc Ferry, *Vaincre les peurs*
N° 191 : Henri Broch, *Gourous, sorciers et savants*
N° 192 : Aldo Naouri, *Adultères*

CET OUVRAGE A ÉTÉ COMPOSÉ
ET MIS EN PAGE CHEZ NORD COMPO
(VILLENEUVE-D'ASCQ)

Imprimé en France sur Presse Offset par

Brodard & Taupin

La Flèche (Sarthe), le 24-09-2007

N° d'impression : 43636
N° d'édition : 7381-2018-X
Dépôt légal : octobre 2007
Imprimé en France